Soy auténtica

IVONNE COLLINS Y SANDY RIDEOUT

Soy auténtica

Manual de supervivencia para chicas

Amat Editorial

Título original en inglés: *Totally Me. The Teenage Girl's Survival Guide*
Autora: Yvonne Collins and Sandy Rideout
© 2001, Yvonne Collins and Sandy Rideout
© para la edición en lengua castellana: Gestión 2000, S.A., Barcelona, 2001
Traducido por: Betty Trabal
Diseño de cubierta: Jordi Xicart
ISBN: 84-8088-636-6
Depósito legal: B-33.485-2001
Fotocomposición: Text Gràfic
Impreso por Talleres Gráficos Vigor, S. A. - Sant Feliu de Llobregat (Barcelona)
Impreso en España — *Printed in Spain*

Índice

Agradecimientos

Ante todo nos gustaría dar las gracias a Michelle, Amanda, Melissa, Jennifer y sus amigos, quienes han inspirado este libro y nos han ofrecido sus ideas. Agradecemos también a Carolyn Swayze por sus esfuerzos, a Paula Munier-Lee por su consejo y por los ánimos que nos ha dado, y a Dawn Thompson por mantenernos en nuestro camino.

Como siempre, apreciamos también el apoyo de nuestros padres.

Un agradecimiento especial a Dave por su entusiasmo y provisión interminable (¡esperamos!) de buenas ideas. Por último, damos las gracias a nuestros amigos en cuya compañía seguimos siendo «chicas».

Introducción

¿Está tu familia volviéndote loca?
¿Estás deseando tener más independencia?
¿Estás harta de oír a tu mejor amiga quejándose de su nuevo amigo?
¿Estás harta de no tener un amigo de quien quejarte?
¿Sueles tener días de rabia absoluta y días de puro éxtasis?
¿Es la frustración tu mejor amiga – y la confusión su apellido?

Bien pues, continúa leyendo porque el calvario ha llegado. Nosotras hemos estado en él, hemos hecho lo mismo y comprendemos qué es lo que os está ocurriendo.

La vida de los jóvenes no es coser y cantar. La adolescencia está aproximándose a ti a toda velocidad como si de un camión gigante se tratara. Estás haciendo amigas nuevas de todo tipo, y cada una de ellas llega con sus propias normas. Te fascinan los chicos, y cada uno de ellos viene con un conjunto de reglas propias que las mujeres no podemos leer. Estás enfrentándote a las presiones de tus compañeros, a las presiones de tus padres, y sobre todo, a las tuyas propias. ¡Todo ello basta para hacer explotar la cabeza de cualquier chica por muy perfecta que ésta sea!

Y por si fuera poco, además de todo ello, estás intentando establecerte como individuo y encontrar tu «estilo personal» (no estamos hablando de estilo de vestir únicamente). En esto consiste el reto más importante de los años adolescentes. Quieres destacar –pero no demasiado. Quieres ser tú misma –pero sólo si a los demás les gusta. Quieres probarlo todo –pero sólo si no cometes ningún error.

Todo esto es agotador y estimulante a la vez. Probablemente habrá momentos en los que te gustaría correr hacia tus padres para que te ayudaran y guiaran por este confuso terreno minado, pero tu deseo de independencia te impide hacerlo y te deja estancada en tu camino. ¿Qué podéis hacer las chicas?

Para esto hemos venido. A pesar de que no tenemos una varita mágica para hacer que toda la locura desaparezca, sí que podemos ayudarte a comprender algunos de los retos a los que te enfrentas. Nos hemos convertido en expertas en poner en perspectiva las rarezas, lo misterioso –y la *perspectiva* es la clave para todo. Una vez la hayas encontrado, estarás en condiciones para controlar y concentrarte en la tarea de convertirte en una persona maravillosa.

¿Cómo nos hemos convertido en expertas de la perspectiva? Al igual que todos, nosotras también hemos luchamos en la adolescencia pero nuestra misión consistía en superar las turbulencias con el sentido del humor intacto. Una vez conseguido, nos propusimos convertirnos en observadoras profesionales de la naturaleza humana. Una de nosotras se dedica a filmar desde el otro lado de la cámara. La otra es una escritora a plena dedicación. Esto significa que nos pagan por observar y aprender, y ahora queremos compartir nuestros conocimientos y consejo contigo. No te preocupes, primero ya lo hemos probado con los jóvenes más allegados a nosotras.

Confía en nosotras, no te arrepentirás. Cierra la puerta de tu habitación, pon tu música favorita, y relájate con este libro. No te vamos a dar la lata, simplemente vamos a darte consejos, trucos, listas e historias reales de otras jóvenes que están enfrentándose a los mismos retos que tú.

En primer lugar, trataremos el tema de la amistad, los buenos momentos y los malos. Después hablaremos de TODO lo referente a los chicos –cómo encontrarlos, cómo «cazarlos» y cómo dejarlos llegado el momento. A continuación, trataremos el tema de los padres –como vivir en paz con ellos, e incluso cómo llegar a convencerles de que nos den más libertad. Por último, echaremos un vistazo a los cambios mentales y corporales que están produciéndose mientras te mueves por el mundo intentando convertirte en tu misma.

Este es sólo el inicio de un largo viaje de autodescubrimiento. Por el camino te darás cuenta de lo maravillosa que eres. Nosotras así lo creemos, ¡de lo contrario no nos hubiéramos molestado en escribir un libro exclusivamente para ti!

Primera parte

Gracias a Dios por las chicas

1

Aventuras en el país de las chicas

Ella llega a tu casa más rápido que una bala cuando tú estas triste. Se abre paso entre tus enemigos más enérgicamente que una locomotora. Es capaz de saltar de un solo brinco cualquier mesa por alta que sea (para entregar una nota a un chico). Ella es un pájaro. Es una dama. Ella es tu Superamiga.

Si ya has conocido a tu Superamiga, has encontrado oro y probablemente ya lo sepas. Ella es capaz de seducir a un padre demasiado estricto, a un profesor malhumorado, a un chico detestable y si tiene un buen día puede seducir incluso a la chica más malvada de su curso. Te la puedes llevar a cualquier sitio porque sabe cómo actuar en cada situación. Puede hacer que cualquier cosa parezca divertida. Siempre estás esperando a que ella llegue y te sabe mal cuando tiene que marcharse, incluso aunque hayáis estado todo el día hablando únicamente de las complicaciones de vuestras vidas. Ella es la confesora de tus pecados y la campeona de tus triunfos. ¿Quién podría vivir sin ella?

Casi todas las mujeres que conoces te dirán una retahíla de talentos de sus amigas y al hacerlo estarán mostrando su orgullo y felicidad. Es algo así como si expusieran sus joyas en una mesa para que todos las admiraran. Te contarán que eso no es todo, que hay mucho más (porque nunca es suficiente), y que siempre van a las visitas dispuestas a enfrentarse de nuevo a la batalla. Tienen esa mirada satisfecha de una mujer que ha realizado el importante trabajo de construir grandes amistades y saben que nunca estarán totalmente solas en el mundo.

Vosotras que sois superamigas en formación tenéis que saber que esta felicidad también puede ser vuestra.

El lenguaje de la amistad

Las amigas siempre te comprenden. Aunque parezca magia se trata tan sólo de prestar atención. Ellas te escuchan y se meten en tu problema para imaginarse cómo sientes y piensas. Conocen todos los pequeños detalles que entrelazan vuestras vidas. En resumen, siguen contigo aunque vayas a 300 kilómetros por hora. Lo que es más asombroso es que las superamigas siempre saben exactamente a qué te refieres, aunque no lo digas. Dominan el *subtexto* como ninguna persona de tu vida puede hacer.

Cuéntale el suceso más impensable: han visto al chico con el que has estado saliendo durante tres semanas hablando con la chica más guapa del colegio —aquella con la que estuvo soñando hasta que apareciste tú en escena. En cuanto te enteras de la noticia todo el mundo se desmorona encima de ti. Inmediatamente te das cuenta de que es una señal del fin de vuestra relación —y de que todos, desde el protagonista hasta el conserje, se han enterado de ello. Es de lejos la tragedia del año.

Quizás te gustaría explicar lo que ha ocurrido a tus padres, pero difícilmente «lo cogerían». A lo mejor, por algún motivo les explicas fragmentos de la historia dejando que ellos acaben de rellenar los espacios en blanco (¡recuerda que te conocemos!). Seguramente sean personas demasiado ocupadas para leer entre líneas y descubrir que estás realmente preocupada. Puede que sean muy hábiles para comprender un problema concreto como puede ser suspender matemáticas, pero cuando se trata de comprender las implicaciones de «Ryan ha hablado con Vanesa» no suelen saber qué hacer.

A lo mejor, si tienes una hermana mayor te dirigirás a ella para contarle tus problemas. Ella escuchará tu historia y te dará algún que otro buen consejo, siempre y cuando le apetezca. Por otro lado, puede que tu hermana emplee ese tono de superioridad, como si los años de más que ha estado en este mundo fueran tan importantes. A lo mejor acaba diciéndote directamente qué deberías hacer en lugar de intentar ayudarte a encontrar la solución por ti misma.

Puedes intentar explicarle la tragedia a tu hermano, pero seguramente no sea lo más acertado. Los chicos tienen un marco de referencia totalmente diferente al nuestro y se fijan en elementos del problema que no son los importantes para nosotras. Por ejemplo, te recordará lo atractiva que es Vanesa y que no te ofendas porque tu amigo vaya detrás de ella —¡todos los chicos le van detrás! (por cierto, los chicos suelen definir esto como simpatía). Después puede que te aconseje que abandones a Ryan.

Sin embargo, tu mejor amiga comprenderá exactamente cómo te sientes sin tener que decirle una sola palabra. De hecho, antes incluso de que tú la llames, aparecerá por la puerta con todo aquello que necesitas para superar la tragedia —chocolates, una revista, y su jersey favorito para prestártelo. Después de hablar con ella durante una o dos horas, habrás decidido que tu vida es mejor sin él.

El secreto de la amiga mágica es que su experiencia de la vida es tan parecida a la tuya que puede relatar con exactitud lo que te está ocurriendo en cada momento. Sabe cómo te sientes porque ella *siente* lo mismo que tú —y lo expresa en palabras que tienen sentido. De alguna manera te convences de que no estás sola y de que no eres la única incomprendida. De hecho, ¡tienes una red social de seguridad!

Son los detalles

Las chicas se esfuerzan por cualquier causa, sea grande o pequeña. Cogerán dos autobuses para ir al centro comercial bajo una lluvia torrencial para ayudarte a escoger una nueva camiseta para tu cita. Te darán todo su apoyo moral cuando tengas que hablar con un profesor, o si necesitas información sobre algo harán de equipo de espías. Averiguarán más sobre ese chico en concreto que ninguna agencia del gobierno podría hacer jamás. Antes de que termine la semana, sabrás cuál es su película favorita, si lleva calzoncillos largos o cortos, y porqué lo dejó con su último ligue.

Por si fuera poco, averiguarán también si él te considera atractiva o no. Para no ofenderte, en caso negativo, no te lo dirán directamente. Las buenas amigas raramente te dirán cosas que puedan herirte, aunque seas tú quien les ha pedido la información. En lugar de eso, descubrirás la verdad escondida estratégicamente en los detalles. Por ejemplo:

Tú: ¿Has hablado con Connor?

Ella: Sí, me lo he encontrado en el pasillo a la salida del colegio.

Tú: ¿Has averiguado si sale con alguien?

Ella: Sí, pero primero tengo que decirte que Lena me ha dicho esta mañana que Connor no era demasiado bueno con su última amiga. Flirteaba con otras chicas mientras estaba con ella.

Tú: ¡No! ¿De verdad? ¡Yo me moriría!

Ella: ¡Lo sé! Y tengo que decirte que de cerca no es tan guapo. ¡Me he quedado sorprendida! Tiene una mirada falsa, ¿entiendes?.

Tú: ¿Le has preguntado si salía con alguien?

Ella: Bueno, creo que le gusta Carolyn.

Tú: ¿Te lo ha dicho él?

Ella: No exactamente. Tengo esa impresión.

Ella quiere decir: Se giró a mirar a Carolyn cuando pasó por nuestro lado con *esa mirada* en su rostro.

Tú: ¿Le has hablado de mí?

Ella: No en concreto. Pero sabes, creo que no es tu tipo.

Tú: Creo que no. Sobretodo si Carolyn lo es.

Tú quieres decir: He perdido todas las esperanzas, pero por lo menos no se ha enterado de que me gusta y, además, no me parece ninguna maravilla.

Ella: Hay muchos peces en el agua, ¡y algunos de ellos tendrán suficiente entendimiento como para reconocer lo maravillosa que eres!

Ahora, sólo para comparar, observa como se desarrollaría la conversación entre dos hombres:

Connor: ¿Le has preguntado a Carolyn si le gusto?

Greg: Sí. Lo siento, pero ni siquiera sabe que existes.

Habrás observado que los hombres comunican la misma información utilizando muchas menos palabras. Es por esto que tienen tanto tiempo para hacer deporte y para los video juegos. No se andan por las ramas. Las conversaciones de los hombres nos parecen un tanto brutas, pero son eficientes. Las mujeres nos entendemos perfectamente e intentamos no herirnos. Lo mismo ocurre con los hombres a pesar de que estos hagan unos comentarios que a nosotras nos dejarían por los suelos. Por ejemplo: «Cielos Greg, te estás poniendo como un cerdo. Mejor será que dejes de hincharte a galletas».

Bueno, si esto funciona en ellos... A nosotras dadnos diplomacia y si no ¡tiempo al tiempo! Además, el ejercicio de aprender a componer un mensaje cuidadosamente es una preparación excelente para cualquier carrera –¡especialmente para la política!

Analiza esto

Las chicas desarrollan este estilo cuidadoso e indirecto de comunicación a través del intercambio de grandes cantidades de información y del análisis a conciencia de todo lo que ocurre a lo largo del día. Nada es demasiado trivial para compartir. Y esto es así en parte porque todo lo que ocurre en la vida es mucho más divertido cuando lo compartes con una amiga. Incluso los chicos. Especialmente los chicos. Evidentemente no nos estamos refiriendo a que compartas al chico literalmente, pero gran parte de la diversión de perseguir a alguien está en analizar con tus amigas cada detalle de la persecución. Lo único que puede tener la misma emoción que una buena cita es el contársela con todo detalle después a tus amigas. Seguramente hagas uso de tu fabulosa memoria para explicar con todo detalle tu encuentro con ese chico. Tus amigas están esperando –y recibirán– un informe por partes:

- ✿ Qué ropa llevaba.
- ✿ Qué dijo.
- ✿ Cómo olía.
- ✿ Si pagó la comida, te cogió la mano, o te acompañó a casa.
- ✿ Hasta donde llegó en la escala de los besos y caricias.

¡Y esto es sólo para principiantes! Admítelo. No hay nada más divertido que escucharte a ti misma divagando sobre el Chico del Mes. Y las chicas lo hacen de maravilla. Te dirán lo guapo que es, lo bueno que es y la suerte que tienes de ir con él. Estarán verdaderamente interesadas en:

- ❀ El color de sus ojos.
- ❀ Los apellidos de los padres.
- ❀ Si lleva pantalones de cremallera o de botones.
- ❀ Si es un Libra típico.
- ❀ Si ronca (así que se durmió cuando por fin fue a ver una de esas películas lentas que a ti te gustan).

De acuerdo, a lo mejor no están interesadas verdaderamente en *todos* los detalles, pero hacen ver que sí lo están. De alguna manera se involucrarán del todo. Contestarán tus e-mails, responderán tus llamadas y todos tus mensajes. Te sorprenderá su poder de retención. Ellas pueden recordar las frases precisas que él dijo en vuestra primera cita. Tus amigas son chicas muy listas.

También son flexibles, porque cuando tu relación con ese chico se rompe, son capaces de dar la vuelta totalmente a la tortilla y empezar a proferir insultos contra él. Tú también contarás todo lo malo que hizo él y ellas te ayudarán a recordarlo. Señalarán lo estúpido que estaba últimamente, lo malos que eran sus chistes, y la suerte que has tenido de deshacerte de él. Se reirán de su nuevo corte de pelo y del hecho de que haya estado intentando evadirse desde que rompieras con él.

Después, cuando todo cambie y vuelva a gustarte, tus amigas ignorarán tu cambio de opinión e inmediatamente «olvidarán» esas cosas malas y empezarán a ver alguna mejora en él. Empieza a crecerle el pelo, tiene menos granos en la cara y por suerte su sentido del humor está mejorando. Dirán, «fue simplemente una etapa mala, tú eres una buena influencia para él».

Las amigas tienen que ser muy rápidas y cuidadosas. Después de todo para los jóvenes, lo pequeño es permanente —especialmente los sentimientos hacia los chicos. Muchas chicas desarrollamos una «atención selectiva», en el sentido de que nos damos cuenta sólo de aquello que es apropiado para una determinada situación, ignoramos lo que no lo es y suspendemos el juicio. Esto nos permite apoyar totalmente a la gente dándole al mismo tiempo espacio suficiente para moverse.

El equipo de animadoras

A tu edad uno de los temas de conversación con tus amigas es evidentemente el de los chicos, pero sabemos que no es el único. También habláis de los padres, de las notas y de los problemas con los compañeros y con el colegio, de la misma manera que de las preocupaciones sobre el aspecto físico. Lo que es más importante, les confías tus sueños para que te ayuden a averiguar cómo hacerlos realidad. Si tus amigas son como deberían ser, les confesarás tus miedos más profundos sobre el futuro, sabiendo que ellas los disfrazarán de tal manera que no te parecerán tan horribles.

Por supuesto lo que mejor hacen las amigas es convencerte de que tú eres alguien especial. En lo más íntimo a todos nos gusta saber que lo somos y soñamos con encontrar la manera de expresarlo al mundo. A lo mejor tú estás hecha para ser estrella del rock o poeta o astronauta y/o una gran mamá. Puede que tengas un talento escondido que sientas, pero no seas capaz de poner tu dedo en él. Tus amigas son tan observadoras que se darán cuenta de este regalo y te ayudarán a desarrollarlo. Te animarán a contar tus mejores historias, a cantar las canciones de tu corazón, o a hacer tus mejores fotografías.

Tus amigas no necesitan prueba de tu talento para creer en él. Puesto que quieren creer en su propia promesa, suelen ser generosas a la hora de creer en las tuyas. Recuerda que ellas son tu red de seguridad, así que anímate y actúa. Intenta representar aquella escena o exponer tus obras de arte. Ellas aplaudirán cualquier esfuerzo. ¿Por qué no iban a hacerlo? Estás tú haciendo lo mismo por ellas, ¿no? Un día mirarás a tu alrededor y pensarás, «¿Cómo he conseguido mantenerme con este grupo talentoso?».

La terapia de estrógeno

Nadie en este planeta puede encontrar más cosas de qué hablar que dos chicas jóvenes. La diversidad y la cantidad de volumen de las conversaciones entre chicas es siempre impresionante, pero en la adolescencia es algo más que eso. Sabes que es verdad. Tus amigos y tus padres se maravillan de tu vigor. No siempre comprenden que hablar con tus amigas es terapéutico. Después de todo, los padres y los chicos tienden a *resolver* tus problemas por ti. Pero tú quieres resolverlos por ti misma. Tus amigas te prestan su oído comprensivo y una perspectiva fresca y gracias a ello podrás averiguar tus propias soluciones. Puesto que ellas son una extensión de ti, su aportación no te parece una intrusión.

Es evidente que el compartir tus sentimientos con gente en la que confías te da una maravillosa sensación de alivio, pero siempre hay un riesgo en ello. Podrías encontrarte enganchada en el peligroso juego del «teléfono». Es cuando le dices a una persona una cosa y ésta va pasando a través de una serie de personas hasta que vuelve a ti algo totalmente diferente –normalmente algo hiriente o embarazoso.

Nuestras madres solían decir, «Si no tienes nada bueno que decir, no digas nada». ¡Por favor! Decir cosas malas es una de las mejores alegrías de la amistad. Sin embargo, nosotras sabemos que es mejor averiguar si aquellos en quienes confiamos son de fiar. Así que, hasta que no conozcas muy bien a alguien, ten cuidado con lo que compartes. Pregúntate a ti misma, «¿Quiero que todo el colegio se entere de esto?». Si la respuesta es no, mantén la boca cerrada.

Los años de oro de la amistad

Estás entrando en la época dorada de la amistad. Durante los próximos diez años conocerás a los amigos que vas a tener el resto de tu vida. Ahora es el momento de experimentar –de poner a prueba a tus amigos y ver qué es lo que mejor te va. En este proceso aprenderás mucho sobre cómo relacionarte con los demás. A los ojos de alguien poco formado podría parecer que estás únicamente «enganchada» a las chicas, pero en realidad lo que estás haciendo es aprendiendo de ellas cosas que no quieres aprender de tus padres. La amistad es un campo de formación estupendo. Seamos claros, los padres pueden llegar a ser irritantes y probablemente tú se lo digas demasiado a menudo y en un tono no adecuado. Si hicieras esto a tus amigas vuestra amistad no llegaría muy lejos. En su compañía, no tienes más remedio que aprender a ser amable, generoso, leal, compasivo, y cooperativo. Tus padres te dirán cómo comportarte educadamente, pero tus amigas te lo *demostrarán*. A través del ensayo y error, descubrirás qué hacer para gustar a los demás y para que así quieran estar contigo. Puesto que lo que quieres es gustar, averiguarás cómo hacerlo. Un día te despertarás ¡y te habrás civilizado!

Todos somos modelados por nuestros amigos, para bien o para mal. Si tú estás planeando darles a ellos este poder sobre tu vida, no sería mala idea que miraras primero sus credenciales. Comprueba con algunos otros amigos si se tratan o no con respeto. ¿Has puesto la responsabilidad de tu formación en buenas manos? Elige bien y te podrás convertir en la amiga que todo el mundo desea tener. Elige mal y... mejor no sigamos, porque ¡no elegirás mal! Probablemente hayas elegido ya algunos amigos para tu formación.

Cuestionario

¿Cuáles de las siguientes afirmaciones son verdaderas?

Un amigo es alguien:

a. Que ve lo mejor de ti.

b. Que celebra contigo tus triunfos.

c. Que se entristece de verdad cuando fracasas.

d. Que sabe cómo decirte cuándo estás equivocada sin hundirte totalmente.

e. Que no te critica —ni se ríe de ti— cuando cambias continuamente tus objetivos.

f. Que apoya tus sueños y te anima a tomar riesgos.

g. Que explica lo que quieres decir cuando tú no puedes hacerlo.

h. Que protege tus sentimientos cuando te sientes vulnerable.

i. Que puede dar un toque positivo incluso a los eventos más desastrosos para animarte a sentirte mejor.

j. Todo lo anterior.

La respuesta es sin duda la j, todo lo anterior. Parece realmente difícil cumplirlo, y lo es, pero seguramente estés ya cumpliendo muchas de las afirmaciones con tus amigos. Es un trabajo duro el mantener viva la amistad, especialmente al principio, pero el esfuerzo vale la pena.

La seguridad en números

No hay mejor momento como la adolescencia para tener un gran círculo de amigos. Durante estos años vas a tener más tiempo que nunca (hasta tu jubilación) para dedicarte a alimentar tus amistades. Responsabilidades como el trabajo y la familia ocuparán la mayor parte de tu tiempo. Ahora también es el momento de desarrollar una buena base de amistades para luego poder mantenerlas. Y, ¿por qué no presentar a tus amigos entre ellos? El compartir una amistad raramente la empeora , y el poder compartir momentos con varios amigos a la vez es más cómodo cuando disminuye nuestro tiempo libre.

Todo lo que digamos sobre incrementar tus opciones es poco. Exponerte a ti misma a las actitudes de unos pocos puede ser peligroso para tu salud social. No pasará mucho tiempo hasta que agotes todas tus ideas y al final no tendrás nada nuevo que desafiar. La «gente de peña» está destinada a reciclar las mismas nociones una y otra vez. Es como el estanque de un jardín que tuviera la bomba de aire rota –si no entra nada nuevo te estancarás. Todo será moho y malos olores. ¿Es así como quieres acabar?

Dedica tiempo a oler las rosas

Los amigos, al igual que las familias, pueden tener pequeños rituales o tradiciones. Esfuérzate por crear alguna y verás como encuentras una gran satisfacción en estas actividades especiales de una relación particular. Por ejemplo, vas a dar un paseo con un amigo determinado, coméis un chicle cada uno, hacéis globos inmensos con él, y os lo pasáis bien. A la tercera vez que lo hagáis se habrá convertido en «algo» vuestro. Incluso llegarás a sentirte extraña si lo haces con alguien diferente –¡como si estuvieras «estafando» a tu otro amigo! Estos pequeños rituales te aproximarán más a tus amigos y te darán una sensación de exclusividad.

✽ ✽ ✽ ✽ ✽ ✽ ✽ ✽ ✽ ✽ ✽ ✽ ✽ ✽ ✽ ✽ ✽ ✽

Por lo menos una vez al año, seis de mis amigos y yo pasamos una noche en casa de alguien. Conectamos el despertador para que nos despierte antes del amanecer (si es que no estamos todavía despiertos). Nos ponemos el abrigo encima del pijama y vamos caminando hacia la playa para saludar en grupo al sol.

Mi amiga Laura y yo éramos fans de la banda local de nuestra ciudad. Íbamos a todas y cada una de sus actuaciones. Solíamos planear la manera de hacer que los chicos de la banda se fijaran en nosotras. Mi madre nos llamaba fanáticas infelices y decía que nunca conseguiríamos conocerles. Pero una noche, conocimos a alguien que a su vez conocía a uno de los chicos de la banda y gracias a él **conseguimos** *conocerles.*

✽ ✽ ✽ ✽ ✽ ✽ ✽ ✽ ✽ ✽ ✽ ✽ ✽ ✽ ✽ ✽ ✽ ✽

Cuando has hecho un esfuerzo verdadero para conseguir algo fuera de lo normal, algo que es realmente divertido, los recuerdos que te quedarán serán especialmente claros y duraderos.

Gracias por ser una amiga

Bien amiga, para concluir queremos ofrecerte unos consejos: aprecia a tus amigos y dile que les aprecias. No continuarán contigo si no les demuestras tu aprecio. Has elegido a cada uno de ellos cuidadosamente, así que demuéstrales lo mucho que te importan haciendo algo bonito por ellos. No hace falta que sea un gran gesto.

- ✽ Dale tratamiento real. Invítale a tomar el té con pastas hechas por ti. Utiliza las tazas de porcelana.
- ✽ Pídele que te cuente de nuevo la historia de cómo conoció a su novio. Sí, ya sabemos que la has escuchado un millón de veces –¡por eso es un gesto!
- ✽ Haz de una libreta en blanco un álbum de recortes. Decora la tapa con fotos de ella con sus amigas y familia.
- ✽ Envíale una tarjeta graciosa o una carta por correo sin motivo alguno.
- ✽ Si acaba de lograr un éxito, prepárale alguna celebración.
- ✽ Ayúdale a maquillarse y peinarse cuando tenga una cita importante.

2

Es mi mejor amiga y la odio

Como dice el proverbio, «en cada amistad caerá un poco de lluvia».
Bueno, no es exactamente así el proverbio pero sí es cierto que hay un
99 por ciento de posibilidades de que en una relación de amistad se
produzca alguna turbulencia. Chicas, por muy amigas que seáis, tarde
o temprano os mojaréis. De hecho, cuanto más próxima estás a una
amiga especial, más posibilidades tienes de que se produzca alguna tormenta. Es muy probable. Existe una relación directa entre el tiempo que pasas con la otra persona y la severidad de la tormenta. Un día
de repente tu amiga hará algo que tú consideras una violación y ¡HO-
RROR! En muchos casos, una tormenta es justo lo que se necesitaba
para expulsar el aire caliente y opresivo y dejar un cielo claro y limpio.

Seguramente ya habrás oído algún trueno en alguna de tus relaciones. De la misma manera que las masas de aire caliente y aire frío
desencadenan una tormenta cuanto chocan entre sí, los seres humanos
que habitan en un espacio reducido crean inevitablemente algún tipo
de fricción. Este espacio puede ser literal, como es el caso de la casa
que compartes con tu familia, o figurado, como es la relación con tus
amigos. Los humanos necesitamos espacio para respirar o de lo contrario nos inquietamos y empezamos a buscar algo para quejarnos.

En tu caso no tienes que ir demasiado lejos. Actualmente estás enfrentándote a demasiados cambios que te producen inevitablemente
una sensación de estrés. Lo raro es que dado el estado de constante tensión que estás viviendo en estos momentos no se produzca una
tormenta tras otra en tus relaciones de amistad. ¡O a lo mejor sí que
las hay! Es imprescindible que desarrolles algunas estrategias efectivas
para tratar los conflictos, estrategias que a la larga serán el fundamen-
to para resolver cualquier problema que tengas con otras personas.

¿Cómo contribuyes a mantener el orden en tus relaciones de amistad?

Elige la respuesta que más se aproxime a lo que tú harías en cada una de las siguientes situaciones:

1. **Tu amiga Grace tiene un nuevo compañero. Para ti, él es el más desastroso del colegio.**

    a. ¿Le dices a tu amiga qué piensas exactamente de él?

    b. ¿Te muestras exageradamente antipática cuando estás con ellos?

    c. ¿Haces un montón de preguntas para asegurarte de que la está tratando bien pero no dices nada?

    d. ¿Le dices a Grace que estás muy contenta de que tenga un compañero y le animas a pasar el mayor tiempo posible con él? Es importante tener un chico cueste lo que cueste.

2. **Amanda está constantemente quejándose de su familia; su hermano es un pesado, su madre una regañona y su padre se cree joven y divertido.**

    a. Le dices que tiene toda la razón –hay un montón de perdedores. De hecho, tú ya los criticabas antes de que Amanda lo hiciera.

    b. Le dices que también crees que son un poco extraños y que estás encantada de que no sean tu familia.

    c. Te abstienes de hacer ningún comentario. Si ella quiere criticarles, tú la escuchas, pero no vas a criticarles tú también. Incluso intentas destacar algún aspecto positivo de ellos.

    d. Te ofreces para que se desahogue contigo cada vez que quiera hacerlo. Incluso aunque tengas otros planes, los cambias porque ella te necesita en ese preciso momento. Y además no aprovechas para descargar tú también los problemas de tu propia familia, porque ya está bastante enfadada.

3. **Tú tienes un trabajo a media jornada y Cindy no. Estáis juntas en una tienda y ella te señala un vestido que le encanta pero**

que no puede pagar. Ahora que lo ves, a ti también te encanta y sí lo puedes pagar. ¿Qué haces?

a. Compras inmediatamente el vestido. No es culpa tuya que ella no tenga dinero.

b. Te marchas pero al día siguiente vuelves a la tienda a comprarlo. Si tardas unas semanas en ponértelo tu amiga ni siquiera se dará cuenta.

c. Realmente necesitas un vestido y éste te encanta, pero si no es que ella te anima a comprártelo buscas en otras tiendas algo similar.

d. Le compras el vestido con tu dinero. ¡Le quedará mejor a ella que a ti!

4. **Hace años que conoces a Maggie. En sus clases de natación de los sábados ha conocido a una chica llamada Ashley y se han hecho amigas. Un día te invita a las clases con ellas. Ashley es muy agradable y enseguida hacéis buenas migas.**

a. Durante la semana la llamas para ver si quiere ir al cine contigo –elige ella. No le dices nada a Maggie.

b. Le dices a Maggie que tienes dos entradas gratis para el cine, pero que puesto que a ella le espantan las películas de terror le dirás a Ashley si quiere ir contigo.

c. Le preguntas a Maggie si quiere ir al cine contigo. Si ella no quiere le comentas que estás pensando en llamar a Ashley para ir con ella.

d. Decides que Maggie parece divertirse mucho más con Ashley que contigo, así que les das las entradas para que vayan ellas dos al cine.

Veamos las puntuaciones

❀ Si has elegido la opción **a** mayoritariamente, eres una pésima amiga. Intenta reconciliarte y empieza a ser más considerada o de lo contrario prepárate a pasar la mayor parte de tu vida sola.

❀ Si has elegido la mayoría de **bs**, seguramente estarás preguntándote porqué tus amigos están siempre enfadados contigo. Estás actuando egoístamente y mejor será que vigiles tus pasos.

❀ Si la mayoría de tus respuestas es **cs**, ¡felicidades! Eres una amiga amable y considerada. Tratas a la gente con respeto y como resultado de ello vas a tener amigos agradecidos toda tu vida.

❀ Si has elegido mayoría de **ds**, ¿no estás harta de que la gente se limpie las botas de barro en ti, o es que te divierte ser un felpudo? La amistad tiene unos límites y tú lo sabes. La gente no espera —ni siquiera pretende— que lo sacrifiques todo por ella.

Una regla fundamental

Existe una regla fundamental en la amistad que probablemente ya hayas escuchado antes: No hagas a los demás lo que no te gustaría que te hicieran a ti. De la misma manera que quieres que te traten con amabilidad, generosidad y respeto, tú también tienes que tratar así a los demás. No requiere demasiado tiempo preguntarse a sí mismo, «¿Cómo me sentiría si ella me lo hiciera a mí?».

La cosa se complica un poco más cuando la pregunta es, «¿Cómo se sentiría si le hiciera esto?» No se trata de que penetres en su cerebro, después de todo y por muy similares que creáis ser, no sentiréis lo mismo en cada situación. Puede que lo que para ella sea preocupante o hiriente para ti no lo sea. A veces llegarás a convencerte de que una amiga está intentando herirte deliberadamente, cuando en realidad ella ni siquiera comprende que eso que está haciendo pueda llegar a molestarte.

Es difícil llegar a concentrarse en lo que los demás sienten en este momento en que estás concentrada en tu desarrollo personal. Seamos sinceros, ¡es duro tener que pensar siempre en los demás! Todos tenemos algo de narcisistas (cómo me gusto más, ...), pero la mayoría de nosotros refrenamos esa tendencia conforme pasan los años. Por ahora, tú y tus compañeras estáis batallando con dificultad por encajar entre los compañeros y al mismo tiempo vais esculpiendo vuestra personalidad individual. Puede ocurrirte que justo cuando intentes abrir tus alas golpees inintencionadamente (casi siempre) al que tienes a tu lado. Es algo así como hacer una clase de aeróbic con la sala abarrotada de gente y la música a todo volumen y tú sin poder apenas moverte.

Cuando has pasado todo el tiempo posible con una amiga íntima, puedes acabar teniendo la sensación de que estás compartiendo tu identidad con alguien. Puede que esta proximidad tan íntima que ayer no te molestaba, hoy por alguna razón empiece a agobiarte y desees que tu amiga te deje en paz. Pero ella está *siempre* allí. De repente todo lo que esta amiga hace te empieza a molestar.

Generalmente, hay dos cosas que provocan el que dos amigas se peleen:

1. Tú estás intentando cambiar las cosas y definir tu individualidad experimentando imágenes, estilos o filosofías nuevas, y ella no deja de copiarte porque quiere que las cosas sigan exactamente igual que estaban.

2. Ella está intentando ser totalmente diferente y empieza a hacer todo justo al revés de como lo hacíais antes y sientes que te ha dejado excluida.

En estos tiempos de turbulencia, será difícil mantener las expectativas que cada una tenía de la otra. Puesto que las dos estáis cambiando, algunos de vuestros viejos hábitos quedarán desfasados. Lo más normal es que no os paréis a reexaminarlos hasta que ocurra algo que fuerce la situación —será en ese momento cuando empecéis a ver las nubes de tormenta en el horizonte. Los problemas empiezan cuando alguna de vosotras decide finalmente dar el paso y redefinir las cosas. Por ejemplo, pongamos el caso de que tú y tu amiga siempre salís juntas el sábado por la noche. Un día conoces a un chico y decides pasar los sábados con él. Le propones a tu amiga que seguirás saliendo con ella algún sábado noche pero ella se siente herida. Tú no quieres abandonarla pero te enfadas porque su actitud ha sido totalmente irracional.

Cuando te encuentres en un conflicto –y seguro que te pasará–, tendrás que tratarlo con mucho cuidado. Es muy fácil poner a alguien a la defensiva pero si lo haces, aunque tengas un punto muy válido, ya habrás perdido el combate. Tu mejor apuesta es comunicar cómo te sientes sin acusarla de intentar herirte deliberadamente. Por ejemplo puedes decir, «Ya sé que no era tu intención, Cecilia, pero no pude evitar sentirme herida cuando me dijiste que me llamarías y no lo hiciste». Lo que tú quieres es que ella sepa que estás enfadada e intentar resolver el problema. Imagínate su reacción si le dijeras, «De verdad odio cuando te enganchas a hablar con Cameron (tono despreciativo) y no me llamaste cuando me dijiste que lo harías». El tono es muy importante. Si ella se percata del tono «despreciativo» que has empleado al decir *Cameron*, no importa las palabras que digas, se dará cuenta de tu enfado.

Principios para sobrevivir al mal tiempo

1. Las chicas listas hablan poco

Por mucho que te enfades con una amiga tuya en un momento determinado, seguramente acabareis siendo buenas amigas otra vez, así que intenta no hablar mal de ella con otras amigas durante el tiempo que dure la «separación».

Recuerda que hablar demasiado puede hundir una amistad. Imagínate cómo se sentirá tu amiga cuando oiga todas las cosas terribles que has dicho sobre ella. Tú sabes que hablabas con rabia y que en realidad no creías lo que decías pero tu amiga no lo sabe. Mientras que una simple pelea puede no hundir vuestra amistad, este tipo de comentarios sí que puede acabar con ella.

2. Las chicas listas nunca escriben este tipo de cosas

Es probablemente el miedo al enfrentamiento el que hace que las chicas opten por escribir o mandar un mensaje cuando están molestas por algo. Esto es un grave error. ¿Por qué? Porque probablemente dirás las cosas que tienes miedo de decir a la cara –y hay un buen motivo para tener miedo. Escribir crea la ilusión de distancia y separación. Te da una valentía falsa al no poder ver las expresiones de ira o dolor de la otra persona. Y lo que es peor, le quitas el poder de contestar a tus comentarios incrementando así su enfado y frustración. Otro problema es que al escribir sobre un problema no es sencillo transmitir el tono eficazmente. Seguramente te sentirás muy bien cuando envíes la carta. Pero cuando pienses inteligentemente te encontrarás dando vueltas intentando recuperarla.

Y aquí está lo peor de todo. Una vez haya pasado definitivamente el conflicto, la carta quedará ahí como prueba de tu enojo. Ella la tendrá y seguramente no la tirará. A lo mejor te la pasa por la cara al cabo de un año sacando tus palabras fuera de contexto. Si simplemente le has dicho a la cara lo que sientes, no tendrás que preocuparte por nada.

3. Las chicas listas nunca dramatizan

Aunque tengan toda la razón las chicas listas nunca exageran sus reacciones. Alguien que haya sido tu amiga durante mucho tiempo generalmente se merece el beneficio de la duda, independientemente de cuáles sean las circunstancias. Sí, ya sabemos que ha violado una de las normas de vuestra amistad, pero tu deberías intentar perdonarla y volver a ser su amiga. No saques las cosas de quicio e intentes hacerle sufrir. Tu dignidad y tu gracia ganarán su admiración y gratitud. Sé una persona fuerte y olvídate para siempre de lo que ha pasado y no vuelvas a sacar los trapitos sucios nunca más.

4. Las chicas listas nunca dan golpes bajos

El problema de enfadarse con una amiga íntima es que ella normalmente conoce tus vulnerabilidades. En otras palabras, ella tiene algo tuyo. Si nunca has besado a un chico y te preocupa, ella podría pasártelo por la cara en una riña. Por supuesto, tú también tienes algo de ella. A lo mejor ella cree que no es demasiado brillante. ¿Serías capaz de utilizar esta opinión? ¡No lo hagas! La amistad se basa en la confianza y por ello, tienes que jugar limpio. Limítate al problema en cuestión y no te metas en lo personal. Los comentarios bajos son los que ninguna de las dos nunca olvidaréis.

5. Las chicas listas imitan a los chicos

Los chicos en este aspecto son mejores que nosotras –ellos pelean limpio. Cuando los cobardes luchan utilizan a menudo las tácticas rastreras de las chicas. Dicen cosas personales e hirientes. Utilizan palabras inteligentes y astutas. Analizan en exceso. Hacen el problema interminable.¿Cómo lo sabemos? Porque nosotras lo hemos hecho.

También hemos observado a muchos chicos pelear y así lo hacen: Se encienden, gritan, se insultan e incluso se dan algún que otro puñetazo. Esto es feo –pero una vez acabado ya está. Vuelven a tranquilizarse e incluso se dan la mano. Una hora después, están juntos charlando tan amigos. Simplemente lo han superado.

Olvídate del análisis e intenta olvidar el problema. Es más importante remediar las cosas que tratar de averiguar dónde exactamente reside la culpa. Demuéstrale con un gesto que la pelea ha terminado. No, no hace falta que le des con una toalla mojada en el vestuario como hacen los chicos, pero sí trata de buscar algo que tu amiga identifique como la bandera blanca del fin de la pelea.

A las chicas, tengan la edad que tengan, no les suele gustar la confrontación, así que es mejor que no airees tus opiniones si no es de la manera adecuada. Seguramente, antes de que te des cuenta tu amiga te habrá dejado con la palabra en la boca. Esto no quiere decir que no puedas compartir tus preocupaciones simplemente porque pienses que a ella no le va a gustar. Si crees que te ha tratado mal, tienes todo el derecho del mundo a hacer todo lo que puedas por salvar tu amistad.

Puesto que no podemos mirar en nuestra bola de cristal y ver qué hay en el corazón de la otra persona, en muchas ocasiones no tendremos más remedio que preguntar. Intenta los siguientes métodos:

1. Espera hasta que creas poder compartir tus preocupaciones con calma y tranquilidad.

2. Elige un momento cuando estéis a solas y relajadas (no cuando estéis estudiando para una examen importante).

3. Introduce la conversación preguntándole qué piensa o qué ha estado pensando. Quizás esté enfadada por algún otro motivo. Si es así, apóyala intentando comprender qué le está ocurriendo.

4. Explícale –sin odio en tu voz– que has estado un poco enfadada últimamente con ella por algo que dijo o hizo.

5. Si le sorprende tu afirmación, dile que eres consciente de que no te hirió deliberadamente.

6. Deja que te explique, sin interrumpirla, qué siente acerca de la situación.

7. Respeta sus palabras y acepta su arrepentimiento. Normalmente esto es suficiente.

8. Si ves que no se arrepiente o no te respeta, pregúntale si comprende el motivo de tu enfado. Si no lo comprende, explícaselo con otras palabras.

9. Si tenéis puntos de vista diferentes sobre la situación, tendréis que recurrir a esa palabra frustrante: *compromiso*. Podéis acordar estar en desacuerdo, o hacer las cosas a su manera una semana y a la tuya la otra. El compromiso es bueno. Tendrás que dar para recibir, pero el orgullo y el respeto se mantendrán intactos.

Aunque haya muchas cosas en una relación de amistad que puedan provocar riñas y desacuerdos, muy pocas de ellas conseguirán destruir esa relación. Normalmente, una ruptura temporal es suficiente. Os permitirá a las dos enfriaros un poco y poner las cosas en perspectiva. Además, no hay nada como pasar un tiempo con amigos nuevos que no te gustan tanto, para apreciar las virtudes de los otros.

Las llamadas para poner fin

Desgraciadamente algunas relaciones de amistad se terminan. Sea cual sea el motivo, una ruptura de este tipo siempre es triste. A veces ocurren porque ya no queda nada en común entre dos amigas y por tanto pasan cada vez menos tiempo juntas. Quizás tu amiga esté intentando cambiar tanto su vida que decide limpiar su casa completamente, y de repente te encuentras «aparcada» simplemente porque no encajas en su nuevo estilo de vida. No te preocupes demasiado; necesitas poner tus energías en aquellos amigos que verdaderamente aprecian cómo eres. Aunque somos conscientes de que duele.

Por otro lado, en la larga autopista de tu vida vas a tener que desviarte muchas veces y es posible que te encuentres con tus antiguos amigos de nuevo. A lo mejor en otros momentos encajes mejor con ellos. Es una carretera larga y sinuosa y te sorprenderás al ver dónde te lleva.

Incluso las amistades que terminan pueden darte regalos sorprendentes. Un amigo puede entrar en tu vida, iluminarla por un tiempo y después desaparecer. Pero el brillo puede durar incluso después de que la persona haya desaparecido porque tú todavía tienes recuerdos de los buenos momentos que pasaste y sabes cómo esa amistad te cambió.

Hacia los catorce años de edad, Zara era demasiado descarada para ser amiga de Alison. Tenía un montón de amigos y una gran confianza en sí misma y Alison era terriblemente tímida. Sin embargo, durante el primer curso de universidad, se encontraron en la misma clase entre cientos de desconocidos. Zara animó a Alison a hacer lo que realmente ella quería hacer que era cantar. Se quedó tan impresionada con el talento de Alison que enseguida buscó al director del club de estudiantes y le pidió que dejara actuar a Alison. Zara asistió a todas las actuaciones durante un año, pero después de su traslado acabaron perdiendo el contacto. A Alison todavía le sabe mal haber perdido el contacto, pero cada vez que piensa en Zara se acuerda de la seguridad que consiguió gracias a su apoyo. De hecho, cree que la confianza que Zara tenía en ella es la que le dio el valor para empezar su carrera como cantante.

Los últimos ritos

¿Cómo reconocer cuando terminar una relación? Básicamente cuando esa amistad no te hace sentir bien contigo misma. La influencia de una persona que siempre te hunde o te obliga a actuar de manera distinta a como eres, es como un huracán que espera soplar un vendaval. Notarás algo extraño y pensarás, «¿Por qué me siento agobiada siempre que está ella a mi alrededor?» Tus padres empezarán a decirte que es una mala influencia. Entonces, tus otras amigas empezarán a caer como moscas porque no les gusta. Y de repente, un día, te darás cuenta de que no te gustas a ti misma cuando estás con ella.

Hay una diferencia entre cortar temporalmente con una amiga y dejar que abuse de ti. Si una amiga te hace sentir mal contigo misma durante mucho tiempo, ha llegado el momento de cortar vuestros lazos. Las amistades se supone que tienen que ser divertidas y constructivas. No continúes una amistad que sea destructiva, es decir una amistad con alguien que destruya tu confianza a base de hundirte y despreciarte. Quizás se dedique a divulgar rumores sobre ti en el colegio y pretenda al mismo tiempo seguir siendo tu amiga. Quizás diga cosas horribles sobre otras personas y demuestre que sus valores son diferentes a los tuyos. O quizás cometa un crimen más obvio como es robarte el novio o contar tus secretos familiares. Sea lo que sea, hazte un favor a ti misma y abandona esa amistad. Tú das lo mejor de ti y por tanto te mereces lo mejor de los demás.

Hay éxitos para todas

La mayoría de las veces, podrás superar con éxito las tormentas que pasan por encima de tus amistades. Es importante que tengas presente que tus amistades cambian como cambia todo en la vida, y que el cambio puede resultar incómodo. Da miedo. Cuando una amistad empieza a evolucionar normalmente una persona inicia la evolución. La otra persona puede sentirse atemorizada: «¿Qué pasará si no hay sitio para mí en su excitante vida nueva?».

Esta inseguridad puede abrir la puerta de los sentimientos competitivos. Puede que sientas la necesidad de extenderte y desarrollar algunos intereses nuevos; cuando lo hagas, tu amiga pensará preocupada que estás separándote de ella. Así que intentará seguirte. Recuerda que no puedes dejar de lado esos intereses. Esto no quiere decir que tu amiga competitiva vaya a conseguir exactamente las mismas cosas que tú y por tanto no debería afectar a vuestra diversión.

No dejes que tus propios sentimientos competitivos te disminuyan. Por el mero hecho de que tu amiga triunfe en algo no quiere decir que no queden éxitos para ti. Hay suficientes buenas calificaciones, chicos agradables y premios por los que luchar. A menudo tenemos la sensación de que el que otra persona haya conseguido un éxito reduce nuestras posibilidades de conseguirlo. Y no es verdad. De hecho, el éxito es contagioso. Si tu amiga está arrasando, síguela unos cuantos pasos, y luego desvíate por otro camino. Todos no queremos las mismas cosas. ¿Por qué estás siguiendo todo lo que ella hace cuando en realidad no es tu estilo? Es mucho más fácil que compitas en terrenos diferentes y te lleves a casa tus propios triunfos. De esta manera podrás continuar creyendo en los talentos fenomenales que tienes sin que te distraiga lo insignificante.

Una advertencia: Protege tus espaldas. Mantener una amistad íntima requiere una gran dosis de flexibilidad. A veces la gente se aleja para más tarde regresar. Y aunque no vaya a regresar es mejor dejarla marchar. En las amistades forzadas no hay felicidad.

Cuando una amistad fracasa es mejor pensar que las cosas siempre ocurren por un motivo. A primera vista puede parecer que no lo hay, pero al cabo de un tiempo si miras atrás verás porqué ocurrieron las cosas de aquella manera. Si aquella amiga no se hubiera marchado, a lo mejor no hubieras conocido a esta otra —sí, ésta que te ha convencido de que bailes jazz y gracias a la cual te has dado cuenta de un talento que tenías oculto. Existe siempre una actividad que tiene tu nombre escrito y lo más probable es que sea una amiga quien te guíe hacia ella.

3

Mi amiga tiene un novio nuevo y yo no

Suele ser horrible el día que te das cuenta de que tu madre tiene razón en algo, ¿o no?. Pero, ¿no fue ella la que te dijo un día que la vida es injusta? Nos gustaría poder decirte que no es verdad, pero verás como a lo largo de la vida te vas a topar un montón de veces con esta afirmación. A veces, a pesar del hecho de que seas igual de inteligente y buena que tu mejor amiga, ella conseguirá cosas que tú no conseguirás. Independientemente de lo mucho que desees algo y trabajes para conseguirlo, el destino querrá conceder eso que tú deseas a tu amiga en lugar de a ti. Ya ves, la vida no es nada justa.

Tan pronto tú y tu mejor amiga estáis juntas las noches de los sábados buscando amor, como de repente ella lo encuentra y tú no. Ahora te encuentras sola en casa, buscando amor y amistades en la televisión. Se suponía, maldita sea, que ibais a encontrar el amor *al mismo tiempo* que encontraríais dos chicos también íntimos amigos y que así haríais un fabuloso cuarteto. El destino se ha entrometido en tu camino.

O quizás ocurra que el destino te concede a ti esta felicidad, pero no por mucho tiempo. Pongamos por caso que conocéis a dos chicos íntimos amigos entre sí y que entre vosotros todo es armonía. Bueno, por lo menos hasta el día en que las cosas se tuercen para ti y para tu queridísimo amante y se rompe vuestra relación. Mientras tanto, tu amiga sigue suspirando por su amor y por tanto continúa viendo a tu ex. ¿Violento verdad? Para no hacer siempre de «vela» decides volver a pasar los sábados noche sola frente al televisor. O aún peor, consigues que tu amiga te acompañe sólo cuando su novio tiene entreno de hockey.

Entonces, tienes que aguantar todos sus rollos sobre lo maravilloso que es tu ex novio. Seguramente no te importaba hacerlo unas semana antes cuando tu vida con tu amor era fabulosa pero ahora que ya no estás con él lo único que quieres es que se calle.

¡Ay de ti!

«El demonio no tiene tanta furia como una mujer despreciada», dijo Shakespeare con toda razón. El sentimiento horrible que provoca el que un hombre o una mujer nos desprecie hace desbaratar nuestro mundo. Uno se queda ahí en el «contenedor de deshechos» mirando al cielo y preguntándose cómo ha podido ocurrir.

Cuando es tu mejor amiga quien te da la patada por un chico, sentirás una nueva y tóxica emoción que fluye por tus venas. Son los celos, el monstruo de los niños. A lo largo de la vida experimentarás envidia amarga muchas veces, pero ésta nunca será tan penetrante como la que provoca un amor adolescente. Es totalmente natural y honesto, pero ¿es agradable? Más bien no.

¿Qué puedes reflexionar mientras estás ahí tirada en el contenedor? Bien, seguramente estés muy ocupada pensando. Estarás intentando dar una explicación a tu manera de sentir que probablemente no sea del todo honesta. Esto es algo que todos hacemos porque nos es difícil hacer frente a los horribles celos que hay en nuestro interior. Decidimos mejor llamarlos de otra manera, como por ejemplo, ira justificada: «¿Cómo ha podido atreverse a dejarme ahí tirada después de todo lo que yo he hecho por ella?». O, daño arrebatador: «Lloro cada vez que me acuerdo de lo amigas que éramos antes de que ella lo estropeara todo». O aturdimiento: «No puedo entender cómo puede haberme tratado así». Tus reflexiones te mantendrán ocupada por un tiempo, pero seguirás ahí tirada con un montón de porquería alrededor, así que levántate, date una palmadita, y supera tu desesperación.

De acuerdo, te ha tratado mal, pero el mes pasado tú la querías por sus múltiples virtudes y éstas no han desaparecido de repente. Simplemente han quedado temporalmente ocultas por su delirio de amor. Si ya has experimentado alguna vez el poder de las hormonas, no debería sorprenderte lo que le está ocurriendo a tu amiga. Ya verás como en cuanto vuelvan a calmarse te será difícil recordar y reconocer el poder que éstas tienen para desorientar.

No se trata de que cuando tu amiga conoce a un chico decide cambiar. Lo que quiere es estar más cerca de él y disfrutar de su calor. Pero este calor a menudo enciende un fuego, y con el calor y humo resultante, le será fácil olvidar que tiene una vida exterior que es agradable y confortable. ¿Amigos? ¿Qué amigos? Recordará vagamente a sus mejores amigas. Antes significaban algo para ella, pero eso fue antes de que se diera cuenta de lo cómoda que está en el infierno.

Las hormonas son las causantes de grandes problemas. Tanto en las chicas como en los chicos de todas las edades, las hormonas tienen más poder que la razón y obligan a la gente a hacer todo tipo de cosas que normalmente no haría. En esta ocasión, la víctima es tu mejor amiga. La próxima, puede que seas tú quien se queda atrapada en el horno.

La otra cara de la historia

Sabemos que no envidias el enamoramiento de tu amiga. Lo que ocurre es que a ti también te gustaría tener a alguien, y el destino ha querido darle esa suerte a tu amiga cuando en realidad tú lo *necesitabas* más. Si lo tuvieras serías una persona mejor y más feliz. Si el destino te concediera a alguien a quien amar ¿olvidarías a tu amiga y te lanzarías a él excluyendo a todos los demás? ¿Nunca abandonarías a tu amiga ni le harías sentirse una basura, verdad que no?

Estas equivocada. Sucumbirías a la locura en sólo dos segundos y empezarías a pensar en tu nuevo romance mañana, tarde y noche. Si acaso tuvieras algún segundo libre llamarías a tu amiga (seguramente para contarle lo maravilloso que es tu amor). Pero ya no tendrías contacto, perderías esta relación tan valiosa muy rápidamente. La amistad entre mujeres suele basarse en conocer prácticamente todo de la vida de cada una. Si no tienes tiempo para estar con ella, perderás esta familiaridad que teníais.

Pensarás que podrás volver a retomar esa amistad cuando la locura inicial haya pasado. Querida, vuelves a estar equivocada. Tu maravillosa amistad nunca más volverá a ser igual. Un poco de confianza se habrá perdido porque ella ya sabe que puedes desaparecer en cualquier momento y abandonarla. Mientras tanto, la relación con tu novio irá estancándose —o peor, quizás llegue a abandonarte.

Las razones

¿Por qué echamos a perder nuestras amistades? Sabemos, en el fondo de nuestros corazones, que esa no es la Persona Perfecta —que sólo lo es por *ahora*. Después de todo, ¿cuánta gente se casa con su primer amor, con ese amor del colegio? No mucha. Y, si lo hace, a menudo acabará arrepintiéndose. Y, ¿por eso abandonas a tus amistades? Que digamos no es una decisión demasiado inteligente. Crees de verdad que tus amigas lo comprenderán y te perdonarán todo lo que les has hecho. Puede que lo hagan, pero ¿por qué arriesgarse? ¿No se merecen ellas un poco más de respeto?

Si tienes una amiga íntima y «te falla» cuando empiezas a salir con un chico, probablemente decidas que son los celos. Sí, probablemente esté celosa porque ella también querría tener a alguien. Pero esto no quiere decir que no desee que tú tengas a alguien, cosa muy diferente. Lo que tu amiga realmente quiere es (1) que ambas tengáis un chico con quien salir para así poder comentar todo lo que hacéis; o (2) que tú le sigas dedicando algún tiempo, incluso algún sábado noche, para que le ayudes a encontrar un amigo para ella; o (3) seguir siendo amigas en caso de que rompas con tu novio. Ella no quiere verte desesperada y herida. ¿Qué podrías hacer tú por ella?

Evidentemente, si has seguido nuestro consejo de tener muchos buenos amigos, éste no será tu problema. El problema viene cuando te has limitado a una única «íntima amiga». Si concentras todas tus energías en una sola persona, la relación es mucho más intensa. Y por tanto, cuando un chico entra en escena la sacudida es mucho mayor. Ella es tu álter ego, de alguna manera tu reflejo. Te encanta que le ocurran cosas maravillosas siempre que a ti también te ocurran. La Ley de los Mejores Amigos significa que uno tiene siempre que recibir beneficios de valor equivalente. ¡Ojalá pudiéramos hacer que el destino obedeciera esta ley!

Siempre que hay una amistad «íntima» intensa, hay una lucha por el equilibrio. Mucha gente necesita sentir que es una relación *fifty-fifty*: la mitad de las veces me sacrifico yo, la otra mitad se sacrifica ella. A veces será una relación 80:20 por un tiempo determinado, pero no pasa nada siempre que al final se equilibre de nuevo. El problema de tener una única amiga es que es demasiado fácil mantener el empate. Si te mueves en un círculo más amplio de amigos, te será demasiado complicado comparar lo que estás dando con lo que estás recibiendo. Además, cuando estás rodeada de buenos amigos, no te afectará tanto cuando alguno desaparece por un tiempo. Pero si tu mejor y única amiga te ha dado el pasaporte -¡bienvenida a la soledad!

Supéralo

Si tu mejor amiga o tu novio te han defraudado, lo mejor que puedes hacer es cambiar tu actitud rápidamente. Créenos, sabemos lo tentador que es taparse la nariz y quedarse ahí tirado en el contenedor de deshechos lamentándose de una misma. El tema está en que si te quedas ahí en la montaña de basuras, el olor irá apoderándose de ti y tu atractivo general caerá en picado.

La amargura, la ira, los celos, la autocompasión, nada de esto atrae a la gente. Sabemos que es duro superar todos estos sentimientos cuando alguien te ha decepcionado, pero no deberías dejarte llevar por ellos demasiado tiempo. No te ayudará para nada a cambiar tu situación. Y, al final lo único que conseguirás es empeorar las cosas. Si te quedas sumida en malos sentimientos, la gente, tanto los chicos como las chicas, verán el peligro desde lejos y se apartarán de ti por el bien de sus vidas. Te empezará a costar hacer nuevas relaciones amorosas y te arriesgarás a perder a tus otras amigas porque no les satisfará estar a tu lado. Como ya hemos mencionado, ellas necesitan también obtener algo de tu amistad. Si tú ya no eres divertida, poco a poco desaparecerán, como estrellas que desaparecen en el cielo.

Por tanto, a no ser que quieras vivir tu vida sin ninguna amiga ni amigo, lo que debes hacer es ¡ANÍMATE! *Tarde o temprano*, todo el mundo tiene algún desengaño en sus relaciones amorosas o de amistad. Si alguien te dice que nunca le ha ocurrido o bien está mintiendo o bien estás hablando con una niña de seis años.

Tu ruta de escape

Ya que estamos hablando del tema del rechazo, déjame que te diga que no puedes permitirte el perder a tus amigas. Vas a necesitar su ayuda para salir de ese contenedor de basuras cuando uno de tus amores te abandone ahí. Pronto o temprano te ocurrirá. Todos aquellos que se aventuran en relaciones románticas acaban quemados por lo menos una vez, y chamuscados varias veces. Es así como funciona. Nunca llegarás a ninguna parte en la vida si cuando algo no funciona te limitas a abandonarlo y a deprimirte. Intenta a toda costa recuperar el aliento y levantarte de nuevo, y luego vuelve a ese caballo. Si de verdad quieres algo, tienes que seguir luchando por ello. Al final, o bien conseguirás lo que quieres, o te darás cuenta de que eso no era lo mejor para ti y cambiarás de objetivo. Mientras tanto, celebra el triunfo de tus amigas y trátales como las reinas que son.

Haz una lista y compruébala

Cuando te hayas alejado de tus amigas, tendrás que realizar algún trabajo por reconectar con ellas. Aquí tienes algunos ejercicios entretenidos que te ayudarán a hacerlo y al mismo tiempo te colocarán en la dirección de una recuperación amorosa.

En primer lugar, elabora una lista de todas las razones por las que es bueno no salir con nadie. Esta lista te hará sentir mejor sobre tu nuevo estatus. Mantenla escondida en algún lugar y échale un vistazo para que te devuelva a la realidad la próxima vez que te encuentres demasiado entusiasmada con algún chico.

No sales con nadie, así que...

1. Deja de pretender que estás siempre de buen humor.

2. Deja de intentar parecer atractiva cada segundo del día.

3. Pide raciones extra de patatas fritas –y algunos aros de cebolla (no finjas más no tener hambre).

4. Deja de pretender que te gustan esos amigos, música o padres pesados.

Otra excelente manera de reconectar con tus amigos y superar el fin de un romance es crear una lista de todos los sinónimos en que puedas pensar de la palabra *pene*. Nosotras lo hemos hecho en restaurantes en más de una ocasión e inevitablemente el personal femenino y las mujeres de otras mesas se han unido a nosotras. Hay algo bastante mágico acerca del poder de este juego de poner el aparato masculino en perspectiva. Te retamos a que averigües 30 de estos términos. Sabemos que hay más de 30 porque nosotras hemos llegado hasta 40, pero hemos tenido más años para oír sobre ellos. Aquí tienes algunos para empezar: colita, picha, pistola, torpedo de amor.

A continuación intentad discutir sobre otros temas más femeninos como son: el maquillaje, el peinado, la ropa interior, la astrología, la decoración, los animales domésticos, la educación de los niños, los juegos de cama, las joyas, otras personas, el chocolate, las personas famosas, las coincidencias asombrosas, las historias de amor, las separaciones, las películas románticas, la ropa, las pesadillas, los perfumes, el peso, etc.

Asegúrate de liberar todo el estrógeno que puedas. Tendría que tratarse de una conversación de la cual un hombre saliera huyendo por piernas.

Cualquier excusa es buena para organizar una fiesta

Supongamos que ya empiezas a sentirte mejor por no tener novio. De hecho, ya casi ni te acuerdas de él. Estás casi preparada para volver a empezar a buscar un pez nuevo en el mar. De repente, llega el día de algún aniversario que solías celebrar con él. Los últimos recuerdos de tu amor vuelven a encenderse y corres el riesgo de caer en la autocompasión. ¡No temas! Lo último que deberías hacer es quedarte en casa llorando y con su foto en la mano.

Tenemos la solución perfecta para que dejes de pensar en aquel chico y pases un rato agradable con tu grupo de amigos. ¿Por qué no organizas una «fiesta de recuperación?» Telefonea a todas tus amigas que no tengan pareja e invítales a la fiesta. Diles que cada una de ellas traiga una foto de ese chico en el que no pueden dejar de pensar. De hecho mejor que les digas que hagan varias fotocopias en color de la foto a diferentes tamaños. También deberían llevar una libreta o bloc de notas y alguna revista. No les expliques los detalles. ¡En este mundo no hay muchas sorpresas como esta!

Itinerario de la «fiesta de recuperación»

Para empezar la fiesta no hay nada como una partida de dardos. Por supuesto no una partida cualquiera, ésta tiene sus normas particulares. En primer lugar, necesitas una diana y un juego de dardos (obviamente). Seguro que alguien te lo puede prestar. Después reúne todos los rotuladores y artículos de pintar que tengas. Haz que todas tus amigas se intercambien las fotos y que en ellas pinten todo lo que quieran: horribles bigotes, cuernos de diablo, etc. Engancha la foto del rompecorazones en la diana. La chica que ha sido abandonada por él tiene el honor de tirar los dardos la primera vuelta. Una vez haya conseguido tocarla, las demás podrán empezar a jugar. Id tirando los dardos hasta que la foto en cuestión esté totalmente agujereada. Después pasad a la siguiente foto. El juego terminará cuando las imágenes de las fotografías sean irreconocibles. Y lo mejor es, ¡que todas ganáis!

Cuando estéis listas para la siguiente actividad, coge el montón de revistas. Recorta algunas fotos de chicas voluptuosas ligeras de ropa (fácil de encontrar en cualquier revista) –sin recortar la cabeza. Engancha los cuerpos en la libreta. A continuación, coge las fotos del rompecorazones en cuestión y engancha su cabeza en el lugar donde iría la de la chica. No hay nada más gratificante que ver la cabeza de ese «Don portento» en un cuerpo de nena.

Si te gustan las manualidades, otra actividad divertida es hacer una «colcha de los ex». No te asustes, no es nada complicado. Coged cualquier retal de tela viejo (de unos 30 cm^2 será suficiente) y cread una reproducción artística de vuestro ex novio y otros símbolos significativos de vuestra vida juntos. El objetivo es ridiculizarles así que no os cortéis. Si alguna de vosotras sabe coser, podría juntar todos los cuadrados cosiéndolos a máquina. Después, cada una de vosotras por turnos (tú serás la primera por ser la organizadora), tendrá la colcha en su habitación durante unos días. Cada vez que se produzca una nueva ruptura, se creará un nuevo cuadrado para la colcha.

Aquellas que les guste y sepan representar dramas, podrían inventar algún guión de cine con todos los chicos que os han decepcionado como protagonistas. Haced que esos personajes sean lo más indeseables posible. No os reprimáis. Deberían ser terriblemente anticuados, groseros, aburridos, antipáticos, con enormes defectos y monstruosos al máximo. Después concededles algunos caprichos interesantes, como chocolate con leche con salsa de tomate. Dejad libre vuestra imaginación. A continuación, elegid un escenario: un misterioso asesinato, una aventura en el oeste, o una película de acción. En realidad no importa demasiado, simplemente aseguraros de que sus personajes tengan que sufrir momentos terribles y que la película termine en desastre absoluto. Reirás, llorarás, te encantará. Escribe los guiones en tu «libreta de recuperación» para el futuro.

También podrías desempolvar tus viejas Barbies y a Ken (estamos seguras de que todavía las guardas) e inventar escenas en las que *tú* aparezcas con un aspecto maravilloso. La Barbie podría decir todas las frases inteligentes que te hubiera gustado decirle a tu amigo. Es un juego constructivo porque en realidad estás ensayando para la próxima vez que te encuentres en una situación similar.

¿Por qué no intentas cambiar la letra de algunas canciones para difamar a tu príncipe perdido? Mejor aún, si puedes soportarlo, profana «vuestra canción», aquella que solías escuchar con él. Canta en alto tus nuevas canciones antes de escribir las letras en tu «libreta de recuperación».

Hagas lo que hagas, intenta ser lo más divertida posible, porque el humor te ayudará a recuperar tu perspectiva acerca del chico perdido y te unirá de nuevo a tus amigas. Recuerda cómo hablábamos antes acerca de los recuerdos. Es la emoción que envuelve un evento la que lo graba en tu memoria. La risa lleva a la felicidad, y lo que empezó siendo una situación negativa acabará por dar un giro de 180 grados convirtiéndose así en algo muy positivo. ¿Te imaginas el placer que estas libretas te darán en el futuro cuando te sientas triste por algo? ¿Tienes un mal día en el colegio? Abre tu libreta y recuerda aquella tarde de risa incontrolada.

Antes de que termine la fiesta, deberíais hacer todas un voto de silencio. Guardad las libretas bajo llave y cualquier otra prueba. Vuestros rituales de recuperación nunca deberían ser revelados a extraños (por ejemplo, chicos).

Vuestros rituales top-secret, sean los que sean, tendrán un enorme poder. Verás cómo, cuando una relación amorosa se termina, siempre hay alguno de los dos que sale perjudicado. Pero en cualquier caso tú seguirás teniendo una sólida base de amistad con tus amigas, pase lo que pase en el incierto mundo del amor.

Para nosotras las mujeres, nunca hay suficientes celebraciones para afirmar nuestra amistad. Las tradiciones que establezcas ahora podrás continuarlas durante años, y modificarlas en función de las circunstancias. Acabamos de enterarnos de una mujer de unos cuarenta años que organizó una fiesta con sus amigas para celebrar su divorcio. Pintó de negro el velo que llevó el día de su boda y pasó toda la fiesta con él. Evidentemente hubo mucho alcohol en la fiesta. Tus libretas y catálogos irán engordando hasta que llegues a la edad legal en la que puedas brindar si quieres con champagne por el paso de tus rompecorazones. Mientras tanto, hazlo con tónica, pero brinda. «Adiós a Jack que rompió mi corazón y hola de nuevo a mis amigas que me han visto pasar momentos muy duros. Ahora podremos pasar más horas felices juntas.»

Sin pareja y contenta

Sí, en la vida hay algo más que chicos. Podrás pasar momentos muy agradables aunque hayas tenido que decirle adiós. Con tus amigas, tú puedes ser totalmente tú porque sabes que ellas te aceptan tal como eres. Diviértete pues con tus amigas y disfruta de tu «libertad». Hay mucho que disfrutar sin compañía de un chico. De hecho, aunque ocasionalmente pueda ser bonito tener a alguien, es infinitamente más divertido buscar a alguien. La emoción de la caza suele ser mejor que la captura.

Segunda parte

**Son unos bobos,
son unos brutos,
pero ¡maldita sea!
¡Son maravillosos!**

Hablemos de los chicos

4

Mírale a los ojos

¿Has visto alguna vez una película con un chico y después te ha dado la sensación de que hayáis visto dos películas diferentes? Tú has visto una película de amor en la que la lealtad de los personajes principales era inmensa. Él ha visto una aventura en la que el héroe ha dejado de conquistar lo que hubieran sido desastres naturales, todo por hacer el amor con una chica fabulosa. Tú sales del cine totalmente descompuesta, con todo el rimel corrido. Él al salir protesta. Tú dices, «¡Qué triste ha sido!». «¿Triste?», pregunta él sorprendido. «¡Ha sido divertida. ¿Te has fijado cómo ha serrado el ala del dinosaurio?» ¿Cómo puede haberse perdido el punto principal de la película?

Bienvenida al mundo real de los chicos y las chicas, en el que incluso el intercambio de información más insignificante puede ser un complejo y desconcertante ejercicio de mala interpretación. Somos dos mundos aparte, tanto física como emocionalmente, y nuestros puntos de vista a menudo colisionan con bastante fuerza. En estos capítulos vamos a intentar darte tantos consejos y observaciones como podamos acerca de los chicos, pero nosotras no tenemos todas las respuestas. Una chica no puede penetrar en la mente de un chico porque existe una diferencia biológica fundamental que le impedirá llegar a una comprensión total. Puedes echar toda la culpa al hecho de que ellos tengan un cromosoma —el cromosoma Y— que nosotras no tenemos. Un cromosoma es una pieza diminuta de material genético que el ojo no puede ver, pero que pega duro. Es el que les hace ser más altos, más peludos y más musculosos que nosotras, y es la causa de la abundancia de testosterona que tienen. Es asombroso cómo esta cosa tan diminuta puede hacer que sus experiencias sean tan diferentes a las nuestras.

Mentes con un solo pensamiento

Sabemos que hacer generalizaciones sobre un conjunto de personas es una costumbre desagradable, pero no vamos a dejar de hacerlo. Así pues, vamos a divertirnos. Empezaremos por echar un vistazo al cerebro del hombre.

Una de nuestras fuentes de frustración más importantes con los hombres a lo largo de nuestra vida es el hecho de que no les guste compartir sus sentimientos. Pero hay una razón de porqué ese chico que te fascina no comparte contigo lo que está pasando por su cabeza. Él ha aprendido desde pequeño que es mejor guardar para sí mismo sus pensamientos que abrirlos a las mujeres.

En la mente de cualquier hombre discurre un monólogo interior que es tamizado continuamente para buscar contenido ofensivo, el cual al ser detectado se traduce en algo que es más agradable al oído de una mujer. Podemos imaginarnos que en el caso de un adolescente, el mecanismo tamizador está ya sobrecargado a las diez de la mañana. Aquí tienes unos ejemplos de cómo funciona la traducción simultanea:

Él dice: «Estás magnífica con estos pantalones.»

Él está pensando: «Qué culo tan magnífico te hacen estos pantalones.»

Él dice (por teléfono): «¿Qué llevas puesto?»

Él está pensando: «Por favor, dime que vas desnuda.»

Él dice: «Por supuesto que prefiero estar aquí contigo que jugando a fútbol con mis amigos.»

Él está pensando: «Espero que nos hayamos dado el lote antes de que lleguen tus padres.»

Él dice: «No me he fijado en ella. Estaba mirando el Porsche.»

Él está pensando: «No hay suficiente Spandex en el mundo.»

Lo ves claro, ¿no? Para las chicas suele ser bastante frustrante cuando nos damos cuenta de lo mucho que piensan en el sexo los chicos. De hecho, el sexo interfiere en la recepción de cualquier otra información. Sin embargo, ellos pronto se dan cuenta de que las chicas no pensamos de la misma manera en el sexo, y esto genera un sentimiento de culpabilidad sobre sus necesidades naturales. A menudo verás pruebas de esta frustración en sus comportamientos. Pero no te aproveches de ello. No podemos cambiar nuestra manera de ser. Lo único que podemos hacer es tener paciencia con ellos y aprender a vivir con lo que nos ha tocado.

Es prehistórico

Algunos expertos dicen que los seres humanos surgimos del mar y evolucionamos en las especies que nos hemos convertido. De hecho, dicen que la evolución humana probablemente se detuviera hace cientos de miles de años cuando ya nos habíamos desarrollado lo suficiente para conquistar nuestro mundo. Si realmente dejamos de evolucionar hace tantos años, no es de sorprender que los encuentros y uniones de nuestros comportamientos sean confusos en el mundo moderno.

Los hombres y mujeres primitivos eran cazadores-recolectores. Vivían pobremente a costa de cazar animales y coger raíces y granos. Con la supervivencia básica en peligro cada día, no había demasiado tiempo para juicios detallados. Tus antepasados femeninos probablemente se fijaran en si un hombre era un buen proveedor para ella y sus futuros hijos, mientras que él comprobaba si ella tenía aspecto de ser una buena y sana criadora.

¿Romántico? No. ¿Natural? Me temo que sí. Actualmente, los hombres y las mujeres tenemos muchas necesidades que más encajarían en otro tiempo. Algunas de ellas no tienen demasiado sentido en un escenario moderno, pero es importante recordar que nuestras estrategias de relación y unión nos han servido sorprendentemente bien –para la bonita suma de más de 7 billones de personas de nuestro planeta. Las cifras hablan por sí solas.

Actualmente no sería aceptable que el Sr. Neandertal te cogiera mientras estás recogiendo el grano y te llevara con él a mostrarte la colección que tiene en su cueva. Sin embargo, lo que tienes que considerar es que a un nivel instintivo, para él esto sería mucho más fácil que un enfoque moderno. Los antiguos métodos eran directos. En este nuevo siglo que acaba de empezar los chicos pretender ser amables, decentes y civilizados –y la mayoría lo son- pero tanto ellos como nosotras hemos heredado unos cuantos hábitos de los tiempos antiguos.

Lo que todo ello significa es que siempre, pero especialmente en la adolescencia, hay una gran confusión entre hombres y mujeres. Tú pensarás que los chicos son completamente misteriosos pero, aunque no lo creas, ellos tampoco nos comprenden a nosotras. Como puedes ver, este es el gran empate. Muchos adolescentes no tienen ni la menor idea de cómo tratar a una chica.

Las diferencias entre los sexos van a ir apareciendo en los próximos capítulos, pero empezaremos por hacer cuatro comparaciones simples:

Parálisis por análisis. A ti te gusta analizar las situaciones sociales con tus amigas. Te divierte y agrada sentarte horas discutiendo todos los detalles complejos de las relaciones humanas.

A él le gusta analizar los resultados de las competiciones deportivas del fin de semana y las tripas de las ratas de laboratorio en las clases de biología. La emoción contemplativa le paraliza.

Mis ojos te adoran. Tú sólo tienes ojos para tu verdadero amor del momento. Te gusta sentirte especial en tu relación, sabiendo que él sólo tiene ojos para ti. Él tiene ojos para ti y para casi todas las demás chicas. No puede evitarlo, pero tiene la habilidad de mover los ojos para observar a las chicas sin apenas mover la cabeza.

«Permíteme.» Sabes cómo instalar un vídeo nuevo. Puesto que sabes leer, puedes seguir el manual de instrucciones. Él se ofrece para realizar este servicio. Cuanta más fuerza o genialidad técnica se necesite mejor. A ti te gustaría que te enviara una postal romántica o similar, pero para él, arreglarte el ordenador es un gesto de amor. Y todavía mejor si te quedas con él y miras cómo lo hace sin ayuda del manual.

Lo dice sutilmente: ¡No! Tú te andas por las ramas y vas dejando pistas cuando quieres algo. Esto funciona de maravilla con tus amigas. Él dice lo que quiere directamente o no dice nada. No hay indirectas. Él no se concentra suficientemente en lo que tú dices como para extraer el significado oculto de tus palabras. Para obtener su atención, tendrías que ir directamente al grano.

Uno de los chicos

En el reino de las relaciones chico-chica, existe un terreno intermedio interesante. Es algo así como una zona de paso en la que uno es capaz de infiltrarse en el campo enemigo. Por un corto periodo de tiempo, tú puedes ser invitada a convertirte en «uno de nuestros chicos». Aunque no deja de ser una aventura muy arriesgada, te permitirá obtener gran cantidad de información.

Hay algo que tenemos que decirte antes de que te adentres en esa zona: los hombres son animales. ¿No lo sabías? Nosotras también lo somos. De alguna manera pensamos que nosotros los humanos somos independientes (y superiores) del resto del reino animal, pero la verdad es que formamos parte de él. Somos primates, al igual que los gorilas y los chimpancés. De hecho, tenemos el 98 por ciento del ADN idéntico al de los chimpancés. Imagínate si quieres a un chimpancé con pantalones y camiseta. ¿Es o no parecido a tu novio? ¿No? ¡Imagínatelo después de que tu novio haya roto contigo, ¡ahora sí que ves el parecido!

Bien, mírate al espejo y piensa en ese 98 por ciento. Si el parecido no está en nuestro rostro, en algún otro sitio tiene que estar. Ya sé que los chimpancés tienen mucho más pelo que tú, pero seguro que tienen muchas más similitudes –probablemente incluso nuestra manera de apareamiento. Es chocante, sí, pero si aceptas que todos somos animales, tu viaje en la Zona de los chicos será mucho más sencillo.

Déjanos que te contemos sobre la pequeña rata del desierto que vive en la tierra de los cactus. La hembra define un territorio y se queda en él para vigilar. El macho, por otra parte, está conducido por una necesidad desesperante de esparcir sus semillas lo máximo que pueda y transmitir sus genes a la siguiente generación. Así pues, el macho va visitando hembra tras hembra, intentando batir a todos los demás machos. Tristemente, acaba muriendo muy joven. La hembra aguanta, cría a sus pequeños y vive una buena y larga vida.

La moraleja de la historia es: en todo el reino animal, los machos compiten y las hembras eligen. Y esto también aplica a los humanos, incluida tú. Nosotras somos parte de este reino animal en el que las mujeres establecen los límites y los hombres compiten por sus atenciones. Teniendo en cuenta que no van a ser pocos los tormentos a los que tendrás que enfrentarte al intentar relacionarte con los chicos, esta historia va a serte difícil de creer, pero si te acuerdas de ella, te ayudará a descifrar muchos de sus extraños comportamientos y también a determinar dónde concentrar tus energías. Esta es la Teoría de la Rata del Desierto de la Sexualidad Humana.

Más allá de las líneas enemigas

Nosotras ya hemos estado ahí. Ambas hemos tenido muchas oportunidades de traspasar al otro lado y pasar el rato con los chicos. Es una responsabilidad de mujer el compartir los frutos de su investigación, así que nosotras describiremos algunos de los horrores con los que nos hemos encontrado. Una de nosotros tuvo la oportunidad de trabajar en las oficinas de un gimnasio que estaba conectado con los vestuarios de hombres por una puerta. Aquí tienes algunas de las observaciones hechas mientras la puerta estaba medio abierta:

- ❀ Los hombres no llevan toalla cuando van a la ducha. Se pavonean orgullosamente, con la toalla echada al hombro y sus pertenencias masculinas balanceándose libremente. Aparentemente esto lo hacen por el mero hecho de comparar sus posesiones con las de los otros.

- ❀ A los hombres no les importa que las mujeres vean sus partes balanceándose libremente mientras se dirigen a la ducha.

- ❀ Los hombres se sienten incómodos cuando se dan cuenta de que los hombres con preferencias sexuales diferentes a las suyas se fijan en sus partes.

- ❀ Los hombres clasifican a las mujeres, evaluando constantemente quien está «en su liga».

- ❀ A los hombres les gusta el deporte porque competir es necesario.

- ❀ A los chicos les gusta la chica que les gusta a todos los demás chicos. Da igual que no sea su tipo de chica. Lo que cuenta es el placer de derrotar a sus compañeros. Toma nota: tener a cinco chicos compitiendo por tu atención no quiere decir que estés llevando la colonia adecuada. Es simplemente una cosa suya. Tú eres la chica del mes.

Para nosotras, todas las chicas deberían tener la oportunidad de ser durante un tiempo la única chica en una pandilla de chicos. Es el momento ideal para ver al otro equipo viviendo su vida. Tú también necesitas una invitación para ir a esta misión. Generalmente, acabarás un día u otro en su campo porque algún chico te pida que te unas a ellos en alguna salida. Tu primera intención será ganar refuerzos –en otras palabras, alguna amiga que vaya contigo-, pero no. Si lo hicieras arruinarías la dinámica del grupo. A solas, tú puedes ser «uno de los chicos», pero dos chicas serán consideradas como unas intrusas. El chico que te haya invitado te presentará a su círculo de amigos con ese clásico sello de aprobación: «está bien». Durante un tiempo, olvidarán que eres una chica –siempre y cuando tú no se lo recuerdes con risillas, chillidos o gritos de horror.

Asegúrate de no meter la pata y contar algún secreto de tu propio campo, amiga. Parte de la atracción que los chicos sienten por las chicas está en el misterio que las rodea. Es una parte importante de tu atractivo. Cuando desaparece ese misterio, desaparece gran parte de la diversión entre una pareja, así que mejor será que lo tapes, querida. Coge todo lo que puedas y no dejes nada detrás.

```
Asunto: El club de los chicos

Fecha: 15 de noviembre

De: MegAbabe<megababe@yo.com
```

A: TaraBull<tarabull@tu.com

```
Hola Tara,

Apenas te he visto últimamente. Has estado saliendo con
Josh y sus amigos todo el tiempo. ¿A qué se debe? ¿Acaso
vas detrás de Josh, o es que me he perdido algo?

Hasta pronto,

Meg


Asunto: Te has equivocado

Fecha: 18 de noviembre

De: TaraBull<tarabull@tu.com
```

A: MegAbabe<megababe@yo.com

Hola Meg,

No te preocupes ya he regresado a donde pertenezco. Mi tiempo en el Club de los chicos fue un desastre total. Si, estaba interesada en Josh, y pensaba que él también estaba interesado en mí porque me invitaba todo el rato a ir con él. De repente empezó a preguntarme sobre Terri y sobre si tenía o no novio. Lo que realmente dijo fue, «es sabrosa». ¡Oh, cielos! Solo estaba siendo mi amigo para sonsacarme información acerca de Terri. ¡Me ha estado utilizando!

Tara

De pronto un día descubres por sorpresa –como cuando un ascensor desciende de golpe unos centímetros– que has perdido tu estatus femenino por culpa de salir con los chicos durante demasiado tiempo. Precisamente por eso te hemos advertido de que sobrepases la línea únicamente para viajes cortos para ver cómo vive la otra mitad. ¡No querrás trasladarte a su campo! Después de todo es una pérdida de tiempo intentar convertir a un chico en una amiga. No conseguirás lo que quieres –es decir, un corazón a corazón– y él se sentirá frustrado porque le estás pidiendo algo que no puede darte. Incluso aunque le expliques específicamente qué es lo que quieres o necesitas, probablemente no te lo podrá dar. Además, sentirá que te está defraudando y puede incluso llegar a decidir que necesitas un «alto mantenimiento» cosa que los chicos no toleran en sus amistades.

Mientras eres uno de los chicos descubrirás un montón de cosas. Pasarás con ellos noches muy diferentes, donde la conversación se moverá en torno a alguna actividad particular en lugar de la actividad en torno a la conversación, como ocurre con las chicas. Te servirá de ayuda dejar atrás todo ese análisis femenino al que estamos acostumbradas y simplemente disfrutar sin complicaciones. Por último, pero no menos importante, el estar con chicos que no esperan de ti que seas la «diosa del amor» puede suponer un verdadero cambio.

Son unos groseros

Ten en cuenta que siempre que observes a los jóvenes en su hábitat natural vas a ver una gran cantidad de malos comportamientos. A los

15 años los chicos ya son prácticamente indomables. Y lo peor es que lo que más placer les da es darte asco.

Un día cuando Raquel y sus amigas regresaban a casa de un parque de atracciones vieron a un chico muy guapo en una parada de autobús. En ese momento el semáforo se puso en rojo y mientras esperaban, Raquel le saludó con la mano. Él le devolvió el saludo con una amable sonrisa. Al cabo de un momento, justo cuando arrancaron de nuevo, él se dio la vuelta, se bajó los pantalones y ¡les enseñó el trasero!

¿Quién de vosotras no se ha echado atrás cuando un chico se ha quitado las bambas después de llevarlas todo el día? ¿Y qué me dices de esas rozaduras en la entrepierna? Nosotras hemos investigado y les hemos preguntado, «¿por qué?». Ellos nos han contestado que ni siquiera se dan cuenta de que lo hacen. A los hechos nos remitimos. Después de todo, desde pequeños ya les podemos ver tocándose su masculinidad en lugares públicos. Parece como si temieran que su «amiguita» desaparezca de repente y les abandonen para siempre.

```
Hola Tara,

He pensado en mandarte unas letras para compartir contigo
algo sobre ese bobo al que llamo novio. Esta mañana me ha
dicho que me había escrito un poema y que me lo daría
después del colegio. Me he pasado todo el día emocionada
pensando en el poema y ¿sabes lo que ha hecho? Me ha es-
crito un poema sobre sus costras. Sí lo que te digo, sobre
las costras que se ha hecho en el entreno de fútbol. ¡Qué
idiota! ¡O quizás sea yo la idiota por esperar un soneto!
No entiendo cómo puedo seguir queriendo salir con él, pero
es así. De hecho el poema era muy gracioso, pero he tenido
que hacer ver que me daba asco, por supuesto. ¡Cosa de
chicos!

Meg
```

Lanzar escupitajos y bolas de nieve

Los chicos tienen un montón de maneras diferentes y fastidiosas para expresar su interés por una chica. Nosotras podemos confirmar tu peor sospecha de que si un chico se mofa de ti es casi seguro que te va detrás. Es difícil aceptar que el chico que peor te trata es también el que más te quiere. Ten en cuenta que a los chicos les cuesta mucho expresar sus emociones –y no digamos sus sentimientos. ¿Porqué decirlo con una simple rosa cuando pueden decirlo con sonidos extraños producidos con el sobaco? ¿Estos sonidos atraen tu atención, no? Y perversamente, la atención negativa que tú le das, apartando tu mirada y haciendo algún comentario desagradable («Jonh, eres un cerdo») para él es de alguna manera más fácil de tratar. Ciertamente es raro el chico de quince años que se aproxime a una chica diciéndole «Me gustas mucho».

En la mayoría de los casos, es bastante sencillo corregir este comportamiento. No es fácil creer que el chico que está embadurnándote la cara de nieve en realidad está intentando ligar contigo. De todas formas piensa que tu admirador es capaz de mofarse de cualquier cosa que tenga que ver contigo. Por ejemplo, no tendrá ningún inconveniente en decirte que tu grupo musical favorito es una birria incluso aunque acabe de pagar unas entradas para ir a un concierto suyo. Se burlará de tus pantalones y de los libros que lees. Te imitará al andar, y posiblemente lo haga en el pasillo del colegio. Y se divertirá convirtiendo todo lo que le digas en algo perverso. En el momento en que tu rías, sabrá que te ha ganado e intensificará sus esfuerzos.

Unas breves líneas para la hora del baile

¿Me concederías este baile? Mi madre me dijo que le telefoneara cuando encontrara a mi ángel.

¿Te dolió cuando te caíste del cielo?

¿Estás cansada? Has estado todo el día corriendo por mi mente.

Tu padre debe haber sido un ladrón. Robó las estrellas del cielo y las puso en tus ojos.

¿Crees en el amor a primera vista, o quizás debería volver a venir?

Muchos chicos abandonan este comportamiento mucho antes de que llegue a herir tus sentimientos, pero otros son realmente persistentes. Alguno de estos días, encontrarás al chico que continuamente critique todo lo que haces, dices y llevas. Intentará hacerte sentir estúpida ridiculizando todos y cada uno de tus pensamientos enfrente de los demás.

Es realmente difícil creer que un chico que te trata tan mal está interesado en ti, pero tengo que decirte que así es. Simplemente no sabe cómo controlarse. Si te presta demasiada atención, tiene todas las de perder. Para colmo, está convencido (y con razón) de que tú estás fuera de su liga. Cuanto más cruel sea más perseverante será con su idea de conseguir algo contigo. Intencionadamente o no, te menospreciará para destruir tu confianza. De esta manera tendrás menos posibilidades de atraer a otro chico y al final te fijarás en él. Si él no te consigue, se asegurará de que nadie más lo haga.

Esto se puede calificar de abuso. Independientemente de lo «gracioso» que él se crea, si es hiriente y tú así se lo has dicho, estás perdida. Tu primera línea de defensa debería ser siempre detenerlo totalmente ignorándolo. Si ignorándolo no consigues que cese en su empeño, habla seriamente con algún profesor o asesor. Todos tenemos derecho a movernos cómodamente en nuestras propias vidas sin miedo a las amenazas o abusos. No lo toleres.

Hola Meg,

¡Felicidades! Me he enterado de que por fin has conseguido que el plasta de Ricky dejara de acosarte. Estas son buenas noticias. Era bastante horripilante. Algo un tanto gracioso me ha ocurrido hoy de camino al colegio. Se me ha acercado un chico y me ha dicho: «¿Quieres ir a tomar una pizza conmigo y luego nos desnudamos?». ¡No podía creerlo! Le he contestado con un rotundo «¡NO!» y entonces él ha contestado, «¿Qué pasa, no te gusta la pizza?». ¡Qué desgraciado! –¿realmente cree que una proposición de este tipo puede funcionar? Mientras me alejaba, él continuaba gritándome que su otro coche era un Jaguar, y que era campeón de levantamiento de pesas. ¡Como si por ello me iba a gustar más!

Hasta luego

Tara

La verdad, y nada más que la verdad

A los chicos les suele encantar exagerar su historia personal, con la única intención de impresionarte. Ya sabes a qué mentiras piadosas nos estamos refiriendo –exageraciones que son totalmente transparentes para las chicas, pero aparentemente creíbles para los chicos, a pesar de que no cumplan una serie de principios básicos de la ciencia:

¿Cómo es posible que:

- ❀ tengas que agachar la cabeza para hablar con un chico que dice medir un metro setenta y cuatro cuando tú mides un metro setenta?

- ❀ levante con esfuerzo su mochila llena de libros cuando continuamente insiste en que es capaz de levantar cien kilos?

- ❀ no haya desaparecido en el espacio si constantemente rompe la barrera del sonido conduciendo a toda pastilla?

- ❀ sea la estrella de cualquier deporte?

- ❀ tenga que afeitarse dos veces al día cuando nunca tiene más de cuatro pelos?

Querida, ¡tienes bastante suerte de que él haya puesto sus ojos en ti! En términos generales, podemos decir que son chicos decentes y honestos que simplemente están un poco alocados porque lo que quieren es gustar a las chicas. Recuerda que en tiempos prehistóricos estas proezas de masculinidad hubieran impresionado a tus antepasados. Si tu admirador ha estado exagerando la verdad, y en cierta manera a ti te gusta, ¿por qué no concederle un capricho y seguirle el cuento? A lo mejor algún día también querrás que él crea en alguna mentirilla tuya. Además, recuerda que él está compitiendo. Cuando esté abanicando las impresionantes plumas de su cola –o pasándotelas por la cara– recuérdate a ti misma que se trata de un cumplido. De verdad.

Y entonces, ¿por qué quieres uno?

¡Buena pregunta! La respuesta es sencilla. ¡No tienes otra cosa que elegir! En el sentido más básico, la naturaleza que obliga a seguir y multiplicarte. Para los humanos esto significa encontrar a alguien a quien amar. Es un impulso muy poderoso y para la mayoría de nosotros la resistencia es inútil.

Hola Meg,

¡Esta mañana me he enamorado! Hoy ha venido al colegio el chico más guapo que he visto en mi vida. Se llama Ian y acaba de venir a vivir al barrio. Está en mi clase de matemáticas y a la hora de comer Terri me ha dicho que no tiene novia. Me parece que él también ha estado echándome el ojo en la cafetería. Ahora tengo un motivo para ponerme mi falda nueva mañana.

Tara

Vamos, admítelo. Te gustan los chicos. Son como niños traviesos. Nunca tolerarías que una amiga se comportara como lo hace la mayoría de los chicos. Si tu amiga te dijera que te llamará y no lo hiciera, te enfadarías. Si se mofara de ti y te insultara, dejarías de ser su amiga. Y si durante la clase te tirara fresas a la cara, pensarías que se ha vuelto loca. Es divertido ver que tenemos diferentes estándares para los chicos, si un chico nos gusta, le dejamos que salga impune de su asesinato.

Imagínate cómo sería tu vida si cada noche cenaras un bocadillo de hamburguesa con patatas de acompañamiento. De repente una noche alguien te da un plato de chiles extrapicantes. Al instante los ojos te empezarían a llorar, empezarías a sudar y la lengua te quemaría. Es una comida de castigo pero ¿cómo ibas a saber que podía ser buena? Incluso cuando los chiles dejaran de bailar la rumba en tu estómago, podrías estar tentada a repetir.

Los chicos son como el plato de chiles que te gusta y temes. El hecho de que sean tan diferentes a nosotras es muy atractivo: está la voz, el pelo corporal, el pecho plano, los estupendos abdominales (en las películas por lo menos), la manera sencilla de contemplar la vida. Bien, podríamos seguir pero ya habrás entendido la idea. La atracción no es tanto lo que tenemos en común como lo que no tenemos en común.

Los chicos te dan una visión diferente –algunos dirán ajena– acerca de la vida. Verás cosas que sin ellos hubieras pasado por alto. Incluso te obligarán a verte a ti misma de diferente manera y a reírte de tus michelines (todas los tenemos). Puesto que no están todo el tiempo intentando ser románticos y encantadores, cuando lo hacen, nos dejan impresionadas. Tus amigas intentarán simpatizar por todos los medios con tu mundo pero no conseguirán hacerte sentir mejor que unos insultos oportunos de tu querido. Los chicos tienen un instinto misterioso que les permite ser cariñosos incluso cuando estén actuando como auténticos críos, lo cual explica parte de su atractivo.

❀ ❀ ❀ ❀ ❀ ❀ ❀ ❀ ❀ ❀ ❀ ❀ ❀ ❀ ❀ ❀

Soy verdaderamente consciente de mi nariz. Es demasiado grande para mi cara –incluso los agujeros lo son. Mi novio cree que estoy loca por obsesionarme por ella. Me dice que me calle y al momento empieza a reírse de mí. Una de las cosas que más le gusta es estar de acuerdo conmigo en todo lo que yo digo pero lo hace de tal manera que siempre acabo riéndome de mí misma. Un día me dio la razón de que los agujeros de mi nariz eran demasiado grandes –enormes de hecho. Dijo que un pueblecito austriaco podría esconderse bastante cómodamente en uno de ellos. Yo sabía que estaba bromeando porque siempre me dice lo guapa que me ve. Gracias a él ya no me preocupa mi nariz. Después de todo, quizás no sea tan grande. O, si lo es, ¡qué más me da!

❀ ❀ ❀ ❀ ❀ ❀ ❀ ❀ ❀ ❀ ❀ ❀ ❀ ❀ ❀ ❀

Sobrecarga eléctrica

No hay nada como la sensación que se siente cuando sabes que has conectado con un chico. Cuando te sonríe de una manera especial, es algo así como tener 1000 voltios de electricidad corriendo por tu cuerpo. Científicamente hablando esto tiene una explicación sencilla simplemente mencionando a las famosas hormonas culpables de todo. Por mucho que ese impulso básico de seguir avanzando y poblar el planeta pueda ser frustrante, ¡las hormonas hacen que el esfuerzo valga la pena!

Cuando en tu corazón hay amor (o por lo menos encaprichamiento), todo parece mucho más brillante. Es algo así como cambiar en un instante del blanco y negro al color. Te despiertas por la mañana y todo tu día tiene efervescencia. Y cuando desaparece –a veces tan repentinamente como apareció— es como un fuego que justo acaba de extinguirse, y tú te quedaras ahí temblando y totalmente aturdida. Verás como te recuperas en cuanto empieces a contárselo a tus amigas. «Me gusta no ir loca por ningún chico. De hecho, ni siquiera me quiero comprometer con nadie más.» Puede que en ese momento lo estés diciendo en serio pero de repente, ¡BAM! Y antes de que tengas tiempo de decir, «¡Oh no, otra vez no!» estarás ya en el precipicio mirando al abismo. La pregunta no es si saltarás, sino *cómo* saltarás. ¿Irás bordeándolo con cuidado o lo pasarás como una bala de cañón? Tu eliges, pero al final caerás al abismo.

Los científicos, filósofos y poetas han intentado durante mucho tiempo identificar de qué se trata este sentimiento. Recientemente, los científicos han dicho que el amor es simplemente una reacción química que se produce en el cuerpo humano y cuyo fin es el de aparearnos y tener hijos. Afirman que sólo dura dos o tres años, lo justo para asegurar que el acto se realice. Quizás sea así, pero el hecho de que haya muchas parejas que tras muchos años juntos sigan adorándose sugiere que hay algo diferente.

Al fin y al cabo no es demasiado romántico analizar la química del amor. Quizás esto se deba a que si tu examinas «la chispa» demasiado atentamente, acabarás apagándola. Hay cosas que es mejor dejarlas como están. Así pues, siéntate y disfruta. La electricidad que sientes al principio de una relación es algo que vale la pena saborear. Puede que florezca algo más intenso, como es el amor, el cual no deja de ser también maravilloso. Pero el amor maduro requiere gran cantidad de trabajo y mantenimiento si quieres que sea intenso. Con las primeras chispas, existe la libertad para disfrutar simplemente del hecho de que aquel a quien tú calientas también te caliente a ti. ¡No hay otra forma de sentir este tipo de combustión!

```
Hola Meg,

Hoy me ha ocurrido algo maravilloso. Después de la clase de
matemáticas, Ian se ha acercado a mí cuando estaba recogiendo
mis libros y ha empezado a «pelearse» conmigo intentando qui-
tármelos. Al final me ha cogido la mano y no la ha soltado
durante unos segundos mientras me miraba a los ojos con esa
dulce mirada que tiene. ¡Oh, Dios mío! El corazón sigue yéndo-
me a mil por hora. Ha sido uno de esos fantásticos momentos,
¡ya sabes! Si fuera capaz de pedirle para salir conmigo...

Tara
```

5

Empieza la cacería

Los chicos que son decentes suelen pasar bastantes nervios a la hora de acercarse a una chica y pedirle para salir «fríamente», así que tú deberías crearles un ambiente cálido e incitante. Deja que se acerquen a ti y se asoleen en tu sol. Además, deberías controlar la situación de tal manera que el objeto de tu afecto piense que ante todo ha sido su idea. Al final, estará muy orgulloso de su habilidad de ganar un premio tan significativo.

Nos estamos refiriendo al arte delicado del flirteo, una tradición de siempre honrada cuyo fin es conseguir que un miembro del sexo opuesto se fije en una persona de un modo que no sea amenazador. Es importante que le demuestres que te importa y que quieres que se fije en ti pero no deberías nunca hacerlo aporreándole la cabeza. La clave de este arte es la sutileza.

Cuestionario
¿Tienes buena capacidad para el flirteo?

Antes de continuar leyendo, realiza este cuestionario para ver cómo andas de habilidades de flirteo.

1. **Estás caminando por el pasillo con tu amiga cuando de repente ves venir al objeto de tus deseos. Nunca has hablado antes con él. ¿Qué harías para que se fijara en ti?**

   a. Te quedas tan aturdida al verlo venir que empiezas a sentir pánico, inclinas la cabeza y sigues andando mirando el suelo intentando esconderte detrás de tu amiga.

b. Esperas a que pase y después le dices a tu amiga que le llame. Cuando él se da la vuelta, las dos empezáis a reíros.

c. Continúas caminando con la cabeza bien alta y con aire orgulloso y cuando vuestras miradas se cruzan tú le sonríes. Después vuelves la mirada al frente y continúas andando moviendo las caderas porque sabes que va a darse la vuelta para mirarte.

2. Es la hora de estudio y le ves que se dirige a la biblioteca con un libro de informática bajo el brazo.

a. Le miras a través del cristal y te desvaneces. Cuando por fin se sienta y empieza a leer, tú te quedas embobada mirándole a través del cristal e imaginando que estás dentro con él.

b. Le sigues a la biblioteca y le ofreces tu ayuda en la investigación.

c. Vas a tu mesa, coges tu libro de informática y te sientas cerca de él. Empiezas a pasar las hojas hacia delante y hacia detrás como si no entendieras el contenido. Quizás él te ofrezca su ayuda.

3. Estás fuera del colegio en algún local público y de pronto ves al chico en el que has estado soñando todo el trimestre. Él está ahí a solas y tú estás con un grupo de chicas.

a. Les dices a tus amigas lo mucho que has estado suspirando por él, pero cuando te pide unirse a tu grupo sientes tanta vergüenza que te marchas.

b. Te acercas a él con todas las chicas. Le rodeáis y todas se quedan escuchando mientras tú le haces preguntas acerca de todo —desde su nombre hasta sus relaciones.

c. Inventas una excusa para alejarte de tus amigas unos minutos, para que así él vea que estás sola y no se sienta cortado para venir y decirte hola.

4. Resulta que una de tus amigas conoce al chico que te gusta. Te lo presenta y os deja a solas para que habléis. Puesto que ya has estado «investigando», sabes bastante sobre él.

a. No se te ocurre nada que contarle. Y antes siquiera de que él abra la boca, tú ya te has fugado convencida de que no le vas a gustar.

b. Admites que has estado haciendo de detective y le dices que has descubierto que compartís el mismo gusto musical.

c. Sutilmente conduces la conversación hacia los temas que sabes que a él le van a interesar. Una vez empieza a hablar tú te limitas a escuchar con entusiasmo.

Veamos cómo andas en el tema del flirteo. Si has elegido:

❋ **Mayoría de as:** Mejor será que busques el verbo flirtear en el diccionario, porque parece que no tienes ni idea de lo que significa. Si quieres ganar tienes que estar en el juego, cariño, y por lo que se ve estás todavía muy lejos del estadio. Es urgente que tomes algunas clases de flirteo. Telefonea a alguna de tus amigas que siempre consiguen al chico que quieren y que te den algunas lecciones. Estarán encantadas de ayudarte y seguramente se sentirán orgullosas de que les pidas ayuda. ¡Anímate —no es tan terrible! (y toma notas de los consejos que damos a continuación).

❋ **Mayoría de bs:** ¿Estás loca? Pareces un tren sin frenos dirigiéndose a toda velocidad hacia la Montaña de la Desesperación. Con lo único que estás flirteando es con el desastre. Deja de lado la cafeína y relájate. Deberías mirar delicadamente al mundo porque su sentido está claramente eludiéndote. Serénate o de lo contrario corres el riesgo de ser utilizada —o peor aun, de que se rían de ti.

❋ **Mayoría de cs:** Ciertamente dominas el arte del flirteo. Por favor, comparte tus estrategias con aquellos que realmente necesitan tu ayuda.

El flirteo es un deporte sin contacto, es algo divertido. Pero requiere cierto nivel de confianza. Una de nosotras era muy buena en el arte del flirteo mientras que la otra necesitaba cierto entrenamiento. ¿La gran diferencia? El nervio. La que era buena era capaz de situarse en la si-

tuación e intentarlo. Sí, por supuesto muchas veces los esfuerzos no dieron frutos, siempre hay la posibilidad del rechazo, pero tú eres la única
persona que debería saber qué estás intentando. El flirteo bien hecho es
tan delicado y sutil que apenas nadie se da cuenta, y por eso puede darse
una denegación. Él apenas tiene que darse cuenta de que tú le has son-
reído. No es lo mismo flirtear que abrumar. Se trata de dar una pequeña
muestra de interés y si tras un estudio más a fondo de la mercancía
resulta no ser buena no tienes ninguna obligación de comprarla.

¡Meg!¡Ayuda!

He conseguido que Ian me pida para salir un día juntos.
Continúo viéndole por los pasillos y nos decimos hola, pero
la cosa no va más allá. Creo que fui demasiado evidente
con respecto a mis sentimientos por Josh y no puedo dejar
de arrepentirme por ello. ¿Cómo conseguiste que Bryan te
pidiera para salir?

Tara

No preocupaciones, Tara.

Domino el tema de pedir para salir a los chicos sin pedír-
selo realmente. De hecho, nunca he pedido para salir a
ningún chico. Digan lo que digan, yo sigo pensando que los
chicos prefieren ser ellos quienes pidan para salir a una chica. Por lo que respecta a Bryan, simplemente estuve
flirteando con él hasta que por fin cayó y me pidió para
salir. Imagino que es una buena manera de evitar el rechazo
total. Así que nena, empieza a dar latigazos. Te llamaré
luego para darte algún consejillo.

Meg.

Ten paciencia

Si el objeto de tu deseo «ignora» repetidamente tus señales, o bien no
está interesado en ti o de momento no está en el mercado –¡o es duro
de mollera! Cuando lanzas una mirada a un chico y éste se da media
vuelta, la señal es bastante evidente. No quiere decir necesariamente
que no te encuentre atractiva, sino que en ese momento no está recep-
tivo a tus encantos. Si se trata de un chico tímido, quizás deberías
intentarlo de nuevo, pero si a la segunda tampoco funciona, tira la

toalla. Hay un montón de peces en el mar, así que no malgastes tus energías con uno que no es el adecuado.

Por otro lado, el flirteo puede llegar a ser un largo proceso. Podrías empezar por intentarlo únicamente una vez y después sentarte a esperar los resultados. La cantidad de tiempo que vas a tener que dedicar antes de que el chico de tus sueños te pida para salir puede variar según el tipo de persona. Dale tiempo para que se haga a la idea. Una cosa que de verdad vas a necesitar para cazar sutilmente a tu príncipe es paciencia.

El perseguir el objeto de tus deseos lentamente puede llegar a ser verdaderamente frustrante. De hecho, es casi doloroso tener que estar esperando a que él haga un movimiento cuando lo único que deseas es convertirlo en tu novio *ya*. Pero no te desesperes, te prometemos que al final tu paciencia será recompensada. Si consigues a tu príncipe utilizando este método, acabará creyendo que ha sido él el que te ha estado persiguiendo todo el tiempo. Y puesto que cree que ha dedicado mucho esfuerzo en capturar tu corazón, valorará mucho más su presa. Un chico que te valora te tratará realmente bien. Y oye, ¡tú te lo mereces!

Los preparativos

Evidentemente para que todos estos trucos del flirteo funcionen deberás colocarte a una distancia alcanzable. Quizás los dioses te sonrían un día y dejen caer el objeto de tus afectos directamente en tu camino. Puede que además lleves tu conjunto favorito el día que eso ocurra, si ocurre. Hay gente que ha nacido con suerte, ¡pero la mayoría de nosotras tenemos que trabajar duro para conseguirla!

Para incrementar tus posibilidades de experimentar un encuentro «fortuito», probablemente tendrás que hacer algún que otro preparativo. Empieza pensando en dónde podrías encontrarte casualmente al chico de tus sueños. Esta es la oportunidad ideal para exhibir tus poderes delicadamente afilados de razonamiento deductivo. Sí, tendrás que estudiar, pero este tipo de investigación es muy divertida y nunca tendrás que abrir un libro (a no ser que sea la lectura una de sus aficiones y estés buscando pistas). Tu misión, si eliges este camino, consiste en aprender a través de la observación a solas lo suficiente sobre los intereses de tu chico, para: a) determinar si tenéis algo en común; b) reunir forraje para la conversación que al final tendrás que entablar; y c) hacer *invitados educados* para cuando «te lo encuentres por casualidad».

La cuestión está en prestar atención a los detalles. Si ambos vais al mismo colegio, mantén bien abiertos tus ojos y podrás incluso imaginar su horario. ¿Lleva un palo de hockey los martes por la mañana? ¿Dónde está la pista de hielo, Sherlock Holmes? ¿Se dirige hacia la clase de música a las 4? Entérate de cuando es el próximo concierto del colegio. Recuerda que el objetivo de este ejercicio es divertirte y hacer que ese chico se fije en ti, y no hacerle sentir incómodo. Si empiezas a pensar que estás siendo demasiado evidente en tus esfuerzos de investigación, seguramente sea verdad. En este caso también, el respeto es el nombre del juego.

Consejos para un flirteo exitoso

1. ***Deja que sea tu cuerpo el que habla.*** No hay nada más atractivo que una persona que exuda confianza. Aunque interiormente no la sientas, puedes fingirla exteriormente. Levanta la barbilla, mantente erguida, aléjate de la multitud y él se fijará en ti. Otras señales no verbales de interés podrían ser ladear la cabeza hacia un lado, encogerte de hombros, tocarte el pelo, y masajear tu mano o brazo. Todas estas señales son consideradas gestos de bienvenida por el sexo opuesto.

2. ***Muéstrate amable.*** Pon una sonrisa en tu cara que demuestre a un chico que se puede acercar a ti y que no le vas a rechazar. Si todavía no os conocéis, podrías además de la sonrisa añadir un «¡Hola! ¿Qué tal?»

3. ***Utiliza el contacto visual.*** Una mirada siempre es considerada un signo positivo por los hombres. Cuando estés hablando con tus amigas lánzale una mirada de vez en cuando. No exageres por eso.

4. ***Dale una oportunidad para que se acerque a ti.*** Si estás constantemente rodeada por tus amigas, el chico en cuestión no se atreverá a acercarse a ti. Pónselo fácil buscando maneras de «encontrártelo por casualidad» cuando estés a solas.

5. ***No esperes demasiado tiempo.*** Sigue moviéndote. No es lo mismo darle una oportunidad para que te coja a solas que esperar

a solas durante demasiado tiempo como si fueras un perro abandonado. Demuéstrale que también te diviertes estando con tus amigas. A los chicos les suelen atraer las chicas independientes.

6. **Envía a tus amigas.** Si habéis estado en la misma sala horas y horas y no se ha acercado a ti, haz que tus amigas vayan a charlar con sus amigos. Antes de que te des cuenta estarás cara a cara con tu Sr. Quizás.

7. **Sé agradable.** En cuanto tengas oportunidad de hablar con él, no te cortes. Ponle fácil la conversación contigo. Pregúntale sobre sus intereses o pídele algún consejo sobre algún asunto escolar. Dale la oportunidad de sentirse un experto (¡Ya sabes cómo les encanta esto!). Muestra tu admiración por cualquier hecho remarcable que te cuente.

8. **Ríe con él.** Si dice algo divertido (intencionadamente), ríe sinceramente. No empieces a carcajearte estrepitosamente sino que intenta demostrarle que lo encuentras divertido. Si te encanta hacer comedia, modérate. Por muy ingeniosa que seas, éste no es el lugar adecuado para demostrarlo.

9. **Haz algún cumplido.** No hay nada mejor que algún pequeño detalle para hacerle sentir bien. Dile que te gusta su camisa o la colonia que usa. Un cumplido por pequeño que sea bastará para animarle.

10. **Confía en ti.** No necesitas ser perfecta para atraer a un chico, simplemente tienes que estar segura de ti misma. Concéntrate en lo que estás diciendo para no dar la imagen de ser atolondrada o sosa. La inteligencia es sexy.

11. **Intenta el contacto «accidental».** En cuanto lo conozcas un poco, podrás empezar a enviarle algunas señales más. Inclínate hacia él cuando estéis hablando e intenta algún tipo de contacto físico momentáneo. Coge su brazo un instante cuando rías o dale un golpecito en la rodilla. Puede parecer algo sin importancia, pero funciona. Lo que estás haciendo es mandándole la señal de que podría ser capaz de ganar tu corazón, de que podrías «elegir» pasar más tiempo con él.

12. **De uno en uno.** Tranquilas, chicas. Fíjate en un chico y concéntrate en él hasta que el asunto haya terminado, en la salud y en la enfermedad. No le pierdas la pista en cuanto algún otro chico capte tu atención.

En marcha

Desengánchate por un momento de tu ordenador o del teléfono y sal a jugar. El Príncipe Encantado nunca vendrá a tu casa y llamará a tu puerta. Sabemos que es tentador quedarte en los lugares típicos para que tu príncipe pueda encontrarte, pero lo creas o no, tendrás más posibilidades de conseguir ese primer contacto si estás constantemente en marcha.

Participa en actividades. Esto no quiere decir que tengas que inscribirte en el equipo de baloncesto de tu barrio si odias los deportes para poder encontrártelo algún día jugando en el mismo campo. Por supuesto, estamos hablando de actividades que te gusten. Seguro que tenéis algún interés en común (¡más te vale!); concéntrate en él. Pongamos por caso que a los dos os encanta la música: intenta unirte a alguna banda, o conseguir un trabajo a tiempo parcial en una tienda de música. ¿Os gustan los animales? ¿Qué me dices de hacerte voluntaria para pasear los perros de la residencia de perros del barrio? La ventaja que obtendrás de hacerlo es que independientemente de que te encuentres con él o no, te sentirás bien con lo que haces y conocerás gente que comparte tus mismos intereses.

No hace falta decir que tienes que compartir esta misión con tus amigas. Así, cuando estéis haciendo algo juntas, ya sea viendo una película o yendo en bicicleta, habrá más ojos observando a tu príncipe. No hay nada que acerque más a las mujeres que el tener un objetivo común. Siempre recordarás lo divertido que lo pasasteis persiguiendo a tu presa.

Un último consejo: ten paciencia. Incluso en una gran ciudad, en donde te parece que buscas una aguja en un pajar, puedes encontrar a tu chico. En algún lugar estará. De hecho, probablemente esté divirtiéndose con sus amigos y sean ellos los primeros en topar «accidentalmente» contigo.

Hola Tara,

Gracias por incluirme en tu pequeña aventura de intentar conseguir a Ian. Me lo pasé en grande sobre todo en el centro comercial. Creí que habíamos dado en el blanco cuando nos encontramos con aquel chico tan parecido en la tienda de discos, pero cuando vi que tenía en la mano el último disco de Britney Spears me di cuenta de que no podía ser Ian. Ella no es su tipo -¡tú sí que lo eres! Bueno, otra vez será. Quizás esté en la pista del sábado por la noche.

Meg

¡Cielos! ¡Ahí está!

Al final, si mantienes tus ojos bien abiertos, tu misión acabará felizmente. Estáte preparada para el encuentro «fortuito». Piensa por encima sobre qué vas a hablar. Procura que no parezca que estás leyendo un guión, pero sí prepárate algunos temas para hablar en los momentos de silencio. Hagas lo que hagas, mantén la calma y recuerda los consejos para el flirteo: mantente erguida, exuda confianza, sé amable, haz que se sienta a gusto, y hazle saber de la forma más sutil que estás interesada románticamente en él. Ahora, ¡ve a cazarlo!

6

¿Dije eso en alto?

¿Te has sentido alguna vez imbécil en presencia de un chico sobre el que te hubiera gustado lanzarte? ¿Te has preguntado alguna vez quién demonios se ha apoderado de tu cuerpo y te ha convertido en una persona tartamuda y boba cuando en realidad eres encantadora?. ¡Bienvenida al club! Todas tenemos un espantoso ego esperando justamente a aparecer en el peor momento.

Probablemente sientas una flojera temporal en cuanto veas aparecer a ese chico tan especial. Sabrás que esto te ocurre si:

- Tus rodillas empiezan a flojear.
- De repente se te revuelve el estómago.
- Se te queda la mente en blanco.
- Se te seca la boca y te da la sensación de que tu lengua es enorme como una sandía.
- Te pones roja.
- Si de pronto comprendes porqué hacen pañales para adultos.

Si algo de esto te ocurre estarás dando una impresión realmente lastimosa. A no ser que tu chico tenga idea de primeros auxilios, lo más probable es que salga corriendo totalmente perplejo a contarle a sus amigos lo que le ha ocurrido. Pocos chicos adolescentes son capaces de tranquilizar a una chica petrificada.

¿Qué es lo que causa la flojera? Nos gustaría poder decirte que es una maldición del más allá, pero la triste realidad es que es algo que todos llevamos dentro. Proviene de estar demasiado tiempo en el terreno de la fantasía. Ya sabes a lo que nos referimos, querida. Admite que has estado romantizando aspectos de tu vida. ¿No has imaginado nunca toda una relación antes incluso de conocer al chico? Bienvenida a un día normal de la mente de una chica. El porqué la naturaleza ha creído oportuno hacernos así es algo que nosotras no podemos explicar, pero lo que es indudable es que muchas de nosotras construimos fantasías complejas acerca de los chicos que admiramos. No es preciso conocer demasiadas cosas sobre él para que nuestra fantasía sea gratificante. De hecho, es mucho más fácil «crear» su personalidad sin que la inoportuna realidad se entrometa en el camino.

Todo empieza inocentemente. Una mañana por ejemplo, te detienes en un bar de camino al colegio. Al otro lado del mostrador hay un chico muy atractivo en cuya chapa lees su nombre «Justin». Le pides un cappuccino y Justin bate la leche con un gran habilidad y echa la cantidad exacta en el café. Te sonríe al mismo tiempo que te da la taza, y de pronto sientes algo. Al día siguiente vuelves al bar. Y al cuarto día, te sirve más cantidad de espuma en tu cappuccino porque eres «regular». Un día ves que tiene las uñas de la mano izquierda más cortas que las de la derecha y te imaginas que es porque toca la guitarra. De hecho, intuyes que es un músico con mucho talento. Al día siguiente le oyes tararear la música que suena en la radio del bar y te convences de que lo es. Y, ahora que ya sabes todo acerca de Justin, empiezas a tener una «relación» con él en tu imaginación:

Empiezas por «hablar» sobre su música, su próximo disco y sus sueños de convertirse en una estrella del rock. Tu estás ahí el día de su lanzamiento, el día que inicia su tour por el mundo. Luego, te imaginas cogida de su brazo (llevando un fabuloso vestido) mientras recoge un Grammy. Al cabo de poco tiempo, te propone el matrimonio y te entrega un anillo con un diamante enorme. Pero de repente todo empieza a empeorar. La música se entromete en vuestra relación. ¿Y qué me dices de esa cantante que daba vueltas alrededor de él en los espectáculos? Todo es como un cliché. Tú empiezas a necesitarle cada vez más, pero él está más distante y cuando tu corazón está partiéndose...

¿Quieres canela o chocolate en el cappuccino?

¿Qué? ¡Oh! Estás en la barra del bar y empiezas a flojear.

No hay nada más cruel que la realidad convertida en una fantasía romántica, pero esto es lo que ocurre cuando tu chico querido sale de tu imaginación y aparece en el pasillo del colegio. ¿Sabes qué? Él no es un príncipe, o un actor, o una estrella del rock (¡todavía!). No es necesariamente amable, honesto, divertido o creativo —por lo menos tú no tienes evidencia que soporte tus teorías. Todo lo que tienes son las creaciones de un guión cinematográfico, con todos los detalles del diálogo, los conflictos y las escenas de amor. Has estado desarrollando con todo lujo de detalles un personaje de novela.

Y puede que cuando por fin lo conozcas todo se desmorone. Cuando abra la boca se puede producir una tremenda colisión entre la realidad y la ficción. ¡Oh, cielos! ¡No es para nada como me lo había imaginado! Es sorprendente, sin embargo, lo precisas que podemos ser. Por norma general, las chicas somos observadoras consistentes y cuidadosas, y esto nos ayuda a crear saltos lógicos al construir un personaje. Aun y así, la realidad puede llegar a decepcionarnos.

Mientras tanto, toca de pies a tierra

¿Representan los chicos estas escenas? A lo mejor sí, hasta cierto punto; pero de todas maneras, a juzgar por lo que nos cuentan, sus representaciones no son tan grandiosas. Nosotras deducimos que son películas mentales cuando en realidad tienden a ser radiografías. Y básicamente, ellos no tienen ni idea de las escenas extraordinarias que imaginamos en nuestras mentes románticas. Ellos van a su rollo, comiendo, durmiendo y jugando, ignorando totalmente que nosotras les establecemos unos desafíos extraordinarios en nuestras fantasías, para que nos demuestren si realmente se merecen nuestra compañía. Muchos chicos se avergonzarían al descubrir que una chica admirable les ha atribuido rasgos, motivaciones y acciones maravillosas.

¿Qué podemos hacer si esto es todo muy común y natural? Bien, la mejor manera de evitar que te crees una fantasía que él nunca va a poder hacer realidad es conocerle lo más pronto posible. Es mucho más difícil introducirle en una comedia romántica imaginaria cuando ya sabes que lo único que le gusta son los indios y vaqueros. También es buena idea reunir tanta información real como puedas, para así evitar rellenar los espacios en blanco con mitos. Y por último, lo mejor que puedes hacer es estar tan ocupada que sólo tengas los cinco minutos antes de dormirte para realizar este tipo de trabajo creativo.

Una planificación adecuada evita una actuación poco satisfactoria

¡Anímate y relájate! Aprovéchate de que él no sabe lo que has estado pensando. Recuerda que a lo mejor él también te ha dedicado algún pensamiento –¡o dos! Nada que ver con mitos ni leyendas. Nada que ver con fantasías monotemáticas. Incluso los chicos tienen momentos de ternura romántica:

Cuando Mark tenía 14 años, su hermano bajó corriendo las escaleras y vociferó, «Dime, ¿quién es Elisabeth?» Mark se quedó pasmado. «¿Cómo te has enterado?» dijo, mientras se preguntaba si habría sido porque había gritado su nombre mientras dormía, o si alguno de sus amigos le había traicionado. Su hermano sonrió y se lo explicó. Mark había escrito el nombre de la chica a quien amaba en el espejo del baño después de la ducha. El vaho había desaparecido cuando él salió del baño, pero cuando su hermano se duchó el nombre reapareció en el espejo, ¡dejando su secreto al alcance de los ojos crueles de un hermano mayor!

Después de tomar un profundo respiro purificador, vas a tener que hacer como un Boy Scout y entrenarte. Tarde o temprano vas ha tener que hablar con ese chico. Llámalo la ley de probabilidades. Si lo sigues durante bastante tiempo, un día se dará la vuelta y te dirá *hola*. No cometas el error de creer que vas a reaccionar lógicamente. No lo harás. Para causar una buena impresión, tendrás que ser tú misma y no puedes ser tú misma si estás demasiado emocionada.

La clave como siempre es el ensayo. Decide por adelantado qué tema tocarás en tu «encuentro fortuito». Algunos chicos son habladores, pero la mayoría confiará en que seas tú quien rompa el fuego. Así pues, planifica una conversación «realista» en tu cabeza. No te preocupes demasiado por los detalles, porque la conversación nunca irá exactamente como habías planeado y no querrás quedarte muda simplemente porque él no te sigue correctamente. Limítate a imaginar una serie de escenarios generales para así tener algunos límites cuando estás hablando con la otra persona.

Háblale llanamente

Cuando estés hablando con un chico es muy importante que recuerdes que es un chico. Esto significa que *piensa* como un chico, y que por tanto no deberías hablarle como lo haces a una amiga tuya. A las mujeres nos gusta saber todo sobre los pensamientos y sentimientos más profundos de una persona. A los chicos no. Ellos viven en un mundo concreto en el que comentan *cosas* —noticias del mundo, música y resultados deportivos— y no emociones. Tienen que sentirse muy a gusto con alguien antes de que esto ocurra, y esa comodidad no se consigue con cinco minutos de estar juntos en el pasillo del colegio.

Con ello no queremos decir que no puedas hablar con él sobre lo loco que está vuestro profesor de matemáticas. Seguramente le divertirá escuchar historias graciosas sobre él. Lo que no le gustará es dar un paseo contigo en la Zona de la psicología femenina en la que tú analizas los motivos del profesor y especulas sobre qué le habrá pasado en el pasado para que se comporte tan raramente.

En vista de la cantidad de aguas turbulentas que vas a tener que evitar, mejor será que tengas algunos temas masculinos preparados. Siempre puedes empezar por preguntarle sobre sus asuntos escolares. Pregúntale si practica algún deporte (con ello estarás consiguiendo además información adicional sobre dónde podrías encontrarle después del colegio). Háblale sobre algunos sitios de Internet que pudieran gustarle. Pregúntale si realiza algún trabajo a tiempo parcial. ¿Tiene animales? ¿Ha visto la última película de acción?

De hecho, ésta es la clásica oportunidad para emplear el «no le pidas para salir, pregúntale». Elige una película sobre la que hablen todos los chicos y pregúntale si la ha visto. Si todavía no la ha visto probablemente dirá que le gustaría verla y por supuesto preguntará, «¿y tú, la has visto?». No importa si la has visto o no. Lo que tienes que decir es, «No, me encantaría. Todas mis amigas fueron un fin de semana que yo no estaba y ahora no tengo con quién ir a verla». Si el chico es medianamente inteligente captará tu indirecta y te sugerirá ir a verla juntos. Si no lo hace, no tires la toalla todavía. Quizás esté demasiado nervioso por hablar contigo.

Mantén la atención

Recuerda que a los chicos les gusta hablar de sí mismos (¿a quién no?). Por tanto, tú no tendrás más que introducir un tema, hacer unas pocas preguntas, y dejar que hable. Puede ser que toques un tema poco atractivo para él —sonará más como un interrogatorio que como una conversación. Así que cuantos más temas tengas preparados, mejor. Es imprescindible que le dejes hablar, porque cuanto más hable *él* menos posibilidades tienes de resentirte de una repentina y severa diarrea verbal. Esto es lo que ocurre cuando temes enfrentarte a un silencio repentino; te lanzas a un monólogo interminable y acabas desvariando sobre cualquier cosa que se te ocurre. Cuando por fin dejas de hablar para tomar aire, te encuentras a tu querido interlocutor:

- ✳ Confuso y espantado.
- ✳ Mirando el reloj.
- ✳ Musitando que «tiene que estar en algún otro sitio».
- ✳ Mirando desesperadamente a su alrededor buscando a alguien que le rescate.
- ✳ Alejándose de ti lentamente, sin que apenas se note.

Si te das cuenta de alguna de estas señales, estás en peligro. El objetivo es tratar de convencerle de que eres una persona interesante y fácil con quien hablar, y no una lunática absorbente.

Meg, ¡ayuda!

Te vas a reír cuando oigas en qué lío me he metido esta vez. Hoy he visto a Ian y he conseguido mantener la calma y hablar con él. De hecho, lo he hecho muy bien hasta que le he preguntado sobre qué le gustaba hacer y me ha contestado que le encanta correr largas distancias. Yo le he dicho que a mí también me encanta correr. Yo, la reina del sofá, diciendo al chico que me gusta que me encanta correr. Pero todavía hay más. Lo peor es que me ha dicho, «como soy nuevo en esta área, quizás tú podrías venir a correr conmigo alguna vez para enseñarme nuevas rutas». «Por supuesto que sí, ¡me encantaría!», le he contestado. Oh, ¿por qué he dicho esto?. ¡AYUDA! Ahora ¿qué puedo hacer?

Tara

Comprometiendo tus principios

Puede ocurrir que cuando estés hablando con el chico que te gusta empieces a decir cosas extrañas. Cuando una chica está loca por un chico, de repente sus intereses empiezan a parecerse a los de él. ¿Cuántas de vosotras habéis fingido amar el deporte sólo para ganar unos pocos puntos con un chico nuevo? Y esto es sólo el principio.

Estaba locamente enamorada de un chico más mayor que yo de mi barrio. Yo era amiga de su hermana y por eso había hablado con él un par de veces. Un día me dijo cuál era su libro favorito, así que fui a la librería y me lo compré. Estuve el resto del verano sentada en un banco del jardín leyéndolo (era muy sangriento —todas esas historias de soldados en Vietnam) esperando que un día él me viera ahí. Me sentí totalmente desgraciada porque nunca llegué a verle y porque ni siquiera llegué a entender el libro. ¡Qué verano más desaprovechado!

Me gustaba tanto ese chico que cuando se ofreció a cocinarme sus hamburguesas favoritas, acepté sin dudarlo ni un segundo —aunque hacía dos años que no comía carne. Si eso era todo lo que sabía cocinar, pensé que no me pasaría nada por comerme una. Fue algo especial y de hecho conseguí no pensar en la vaca que murió para hacer que ese momento ocurriera. Ese chico me gustaba tanto que cualquier cosa que me hubiera ofrecido comer me la hubiera comido.

No cambies constantemente

Aunque estas historias sean poco perjudiciales, recuerda que cuando pretendes ser algo que no eres, te sentirás incómoda por estar en territorio desconocido. Y, si te descubren la mentira, te sentirás avergonzada. No querrás darle esta oportunidad ¿verdad que no? Además, él se preguntará porqué no puedes ser tú misma.

Está bien mostrar interés por sus cosas, pero nunca lo hagas a expensas de tu felicidad o amor propio. Ves a sus partidos de hockey de vez en cuando si para él es importante, pero no te conviertas en la mascota del equipo congelándote y viendo dos veces por semana un partido a las diez de la noche sólo para ganarte su corazón. ¡Hay ciertas cosas que no vale la pena hacer!

A las adolescentes a veces les cuesta creer que son atractivas tal como son. Créenos, ¡basta con que seas tú misma! No hace falta tener cosas en común para que una relación funcione. Algunas de las parejas más felices que nosotras conocemos no comparten para nada los mismos intereses, a excepción del interés del uno por el otro. Sabemos que el ser tú misma es el elemento más importante para atraer a los chicos, pero también sabemos que es increíblemente difícil relajarse y hacer simplemente lo que uno hace. No tienes que cambiar para gustarle. Piensa en todas esas personas a quienes gustas por ser tal como eres.

Probablemente verás, si es que todavía no te has dado cuenta, que en cuanto empiezas a salir con alguien, te conviertes en una persona mucho más interesante para los otros chicos. ¿Se debe esto a que a los chicos les gustan las chicas que tienen novio? No. Se debe a que a los chicos les atraen las chicas que tienen confianza –y las chicas que ya tienen novio tienden a ser más naturales y se sienten más relajadas con los chicos porque ya no tienen necesidad de impresionar. El truco está en seguir manteniendo esa sensación cuando dejas de tener novio. No es imposible.

En cualquier caso, no te agobies si no tienes todo en común con ese chico cuyo corazón estás intentando ganarte. Probablemente haya suficiente terreno en común para empezar; poco a poco iréis desarrollando algunos intereses juntos. Y si no compartes su interés por los rallies de camiones, díselo –¡él ya lo esperaba!

- ¿Has visto una película con tus amigos que, por su violencia, antes habías rehusado ver?

- ¿Has perdido la tarde del sábado viendo una pelea de boxeo y memorizando los nombres de los boxeadores sólo para poder dejar caer el nombre de alguno de ellos en una conversación casual con él?

- ¿Has comprado un CD de un grupo que odias con toda tu alma, sólo porque a él le encanta?

- ¿Te has declarado amante de los deportes de riesgo aun a sabiendas que temes el peligro y hacerte daño?

- ¿Te has ofrecido a pasear a su perro, a pesar de que te produce alergia?

Tara,

No puedo creer que vayas a empezar a correr. Querida, te vas a morir. Podría intentarlo y ayudarte en tu «entrenamiento» pero no creo que vayas a conseguir gran cosa en sólo una o dos semanas. Cuando te proponga ir a correr dile que has quedado para ir a algún sitio y que si quiere ir él también. Después llámame e inventaremos algo. Pero para que te sientas mejor te diré que antes de empezar a salir con Bryan le dije que me encantaba el rock duro y todavía me lo pone para mí. ¡Me estoy quedando sorda por culpa de esta pequeña mentira piadosa!

Meg

¿Quién se derrumbará primero?

Le has estado persiguiendo por toda la ciudad durante un mes, has estado extraordinariamente encantadora, y le has lanzado todas las indirectas que has podido. Si hay justicia en el mundo, el chico acabará pidiéndote para salir. Desgraciadamente, hay poca gente más inconsciente que los adolescentes. El pasar de una relación de amistad a una relación amorosa es duro y lo más probable es que tu pareja carezca de esa inteligencia social necesaria para llevarla con éxito. Después de todo, él es tan vulnerable como tú al rechazo. Puede ocurrir que por mucho que le gustes y por mucho ánimo que tú le des, él no sepa llevar la relación. Probablemente piense que es mejor dejar las cosas como están que arriesgarse a perder tu amistad.

En los círculos militares a esto se le conoce como «callejón sin salida». Cada bando ha tomado una posición y ninguno de los dos se mueve. El juego no puede continuar a no ser que alguno haga algún movimiento. Llegado este punto tienes tres posibilidades: (1) continuar avanzando torpemente (si puedes soportarlo) con la esperanza de que él acabe derrumbándose; (2) poner a prueba tus nervios y avanzar un poco; o (3) derrumbarte y decirle tú misma que quieres terminar la relación. Nosotras estamos a favor de la opción 2 aunque comprendemos que elijas la opción 3 por estar demasiado frustrada.

Cuando el miedo se apodera de ti, la única manera de conseguir que él se mueva, es dándole una patada en el trasero. Si esperas mucho más, el zumbido acabará desapareciendo a no ser que alguno de vosotros sea pescado rápidamente por alguien más audaz. Sin más tardar, deberías golpearle con «dejar de salir». Esto quiere decir que tendrás que inventar una excusa transparente y poco convincente para conseguir a ese alguien a solas durante unas horas y convencerle de que estáis destinados a estar juntos –por lo menos durante una o dos citas. No te preocupes porque sólo tú sabes que tu excusa es poco convincente, tu chico no lo sabe. Si no ha sido capaz de entender las indirectas que le has ido lanzando como migajas de pan en su camino, ¿crees realmente que va a sospechar cuando le pidas que te ayude a hacer los deberes de historia? ¡Por favor! Confía en nosotras cuando te decimos que tu amigo bien plumado no notará el inicio.

Ten en cuenta que tu excusa tiene que ser convincente, para que no te pongas a reír cuando la digas. No tiene sentido destrozar el juego a estas alturas. Utiliza algo que le guste hacer:

* Muchos chicos tienen conocimientos sobre tecnología así que podrías pedirle que te asesorara en la compra de un walkman nuevo, de un programa para tu ordenador o de un videojuego.

* Si le gustan los deportes, pregúntale si le importaría acompañarte a comprar una raqueta de tenis. Después pídele una clase gratis.

❋ Quizás te pueda ayudar en la compra de una *snowboard* o una bicicleta de montaña.

❋ Si puedes conseguir entradas para algún evento deportivo, dile que se las habían regalado a alguna amiga pero que ella no podía asistir. No me gustaría perderlas, así que ¿querrías venir conmigo?.

❋ Si le gustan las cámaras de fotografiar, dile que has prometido a tu madre una foto enmarcada de su querida hija como regalo de cumpleaños. ¿Podría tomarte algunas fotos y quizás también acompañarte a revelarlas a la salida del colegio?

Invéntate alguna excusa que denote interés, no urgencia. Si te da vergüenza hacerlo en persona, mándale un e-mail. Lo que nunca deberías hacer es dejar que lo hagan tus amigos. De lo contrario, se sentirá presionado y negará estar interesado.

Lo único a lo que estás aspirando en estos momentos es pasar un tiempo a solas con él haciendo una actividad que le distraiga y calme sus agitados nervios. A los chicos les gusta tener un motivo para reunirse o una tarea que realizar. Su confianza incrementará rápidamente al realizar un servicio para ti, porque quiere demostrar que es un buen chico.

Cuando hayas conseguido su atención, y todo vaya bien, golpéale con el «seguimiento». ¡Qué grosero sería aceptar su ayuda sin agradecérsela adecuadamente! Así pues, después de realizar el trabajo de reparación, ofrécele invitarle a un café o a comer algo como gesto de agradecimiento. Mientras estéis en el bar, tendréis tiempo para charlar. A lo mejor al verle devorar las patatas fritas y hablar con la boca llena decides cambiar de objetivo. Además, si prolongáis vuestro café una hora o más, lo más probable es que tengáis suficientes cosas en común para avanzar a la fase de la cita real.

La unión hace la fuerza

Organizar una «salida en grupo» es también una excelente manera de salir de un «callejón sin salida». Se trata simplemente de elegir una actividad que a todos les guste e invitar también a tu chico. Las salidas en grupo os ayudarán realmente a aliviar la presión que ambos tenéis. Cuando estéis en este entorno, automáticamente tendréis algo de que hablar y los demás os ayudarán para que la conversación siga su ritmo. Además os sentiréis más valientes gracias al apoyo de vuestros amigos que están ahí pensando, *¿vais a decidiros de una vez alguno de vosotros dos?* Las chicas se asegurarán de que tengáis tiempo a solas para conversar, y se llevarán a todos los demás chicos con ellas. Aquí tienes algunas sugerencias:

- ❀ Organizar una salida de noche a la bolera. Todos se reirán de los zapatos y una competición entre chicos y chicas será realmente excitante.

- ❀ Si el tiempo es bueno, podrías organizar una excursión o un paseo en bicicleta. Cada uno podría llevar algo de comida para el picnic.

- ❀ Asistir a una clase de escalada en rocas.

- ❀ Visitar un parque de atracciones o similar. Asegúrate de sentarte al lado de tu chico en las atracciones.

- ❀ Ir a dar unas cuantas vueltas en los karts. Observa a tu príncipe azul conduciendo como un loco para impresionarte.

- ❀ En verano, podríais ir a un parque acuático. En invierno, podríais encontraros en una pista de patinaje.

Meg,

Gracias por darme la idea de una salida en grupo pero Ian se me ha adelantado. Me ha pedido que le acompañe a escoger un regalo para el 20 aniversario de sus padres. Hemos quedado el sábado por la mañana en la parada del autobús para ir a un centro comercial. ¿Qué crees tú? ¿Es una cita?

Tara

P.D. ¡Espero que esto quiera decir que no tengo que ir a correr nunca más!

Con esto basta para marearte

Mantén los ojos bien abiertos porque puede que no seas tú la única que estás utilizando técnicas avanzadas. Algunas veces, tu chico también te devolverá la pelota. En vez de pedirte para salir en una cita formal, dejará caer la bola en tu patio pidiéndote una salida en grupo o una cita informal.

Una de las situaciones más frustrantes en las primeras etapas es determinar cuándo ambas partes consideran que una cita es «formal». Lo único que puedes hacer es fijarte en las señales y esperar lo mejor. Parece prometedor si:

- Se esfuerza por planificar la «cita».
- Huele mejor que de costumbre.
- Bromea contigo más de lo normal y te da codazos con la intención de tener contacto físico contigo.
- Te dice lo guapa que estás o lo bien que huele tu cabello.
- Se inclina hacia ti cuando te habla.
- Te echa miradas pensando que tú no le estás viendo.

Si puedes responder sí a algunas de estas señales, lo más probable es que tu príncipe esté descubriendo su amor por ti. Por otro lado, son malos indicios si:

- Parece como si justo acabara de levantarse de la cama.
- Mira constantemente a otras chicas.
- Rechaza desviarse de su camino para encontrarse contigo o acompañarte a casa.
- Deja mucho espacio entre los dos cuando camináis juntos.

Si contestas sí a más de una de estas afirmaciones, tu querido príncipe no intenta de ninguna manera impresionarte.

El otro chico

Algo que podría dar un pequeño empujón a tus esfuerzos es ese otro chico. ¿Qué otro chico? Estamos hablando de ese otro chico que ha estado ahí en la retaguardia mientras que tú intentabas averiguar cómo situarte con tu chico adorado. Puede ser que al final consigas una recompensa. Has estado trabajando duro persiguiendo a tu presa y ahora estás disfrutándola. A los chicos les atraen las chicas divertidas, y desde el punto desde el cual ese chico misterioso te está observando, la impresión es que tú eres una de ellas. Quizás él te sorprenda y ¡te pida para salir a quemarropa!

Si se diera el caso, ¿qué harías? Ha llegado el momento de sopesar tus opciones. Examina con detenimiento qué está pasando con tu príncipe azul. Si has intentado ya las opciones de la cita informal y de la salida en grupo y las cosas siguen sin progresar, quizás sea el momento de un cambio. Por lo menos sabes dónde estás con tu recién llegado. No te arriesgues a perder algo que tiene potencial simplemente porque hayas inventado un «compromiso» imaginario con tu príncipe azul. Podrías llegar a esperar años y años (y muchas mujeres lo hacen) antes de recibir la más mínima señal de interés. ¡Olvídate! La caza es divertida pero tienes que saber si la presa está a tu alcance.

Perdón, Charlie

Por otro lado, si las cosas no empiezan a crepitar con tu adorado chico, o si resulta que el chico nuevo no es tu tipo, todo parece indicar que deberías rechazar amablemente a tu admirador. Recuerda que para ti es un honor que haya solicitado tu compañía. Le debes tus respetos, incluso aunque pienses que es el chico más horrible de todo el colegio. Respeta su dignidad y agradécele su oferta. Dile que estás orgullosa por el interés que ha mostrado, pero que acabas de empezar a salir con algún chico. De esta manera, pensará que le rechazas simplemente porque ha llegado tarde. En ningún caso deberías tratar a nadie de mala manera –o aniquilarle lentamente por medio de ignorarle y lanzarle indirectas de que no estás interesada.

El rechazo elegante es una de las cosas más difíciles de hacer en el maravilloso mundo del amor. En un mundo perfecto, sólo los chicos adecuados te pedirían para salir y los no adecuados te evitarían –y se evitarían a sí mismos- la miseria del rechazo. En la realidad no funciona así y lamentablemente en ocasiones tendrás que herir los sentimientos de alguien.

Maneras incorrectas de rechazar a un chico

- Evitar sus llamadas o sus e-mails.
- Decirle cosas hirientes (por ejemplo, «Estás bromeando»).
- Murmurar algo como que estás ocupada.
- Flirtear con algún otro chico delante de él.
- Sugerirle que alguna de tus amigas encaja mejor con su personalidad. (¡No le ha pedido a ella para salir!)
- Hacer ver que no estás en casa cuando te llama (imitando la voz de tu hermana o suplicando a tu hermano que mienta).
- Decir sí al principio y después llamarle en el último minuto y cancelar la cita.

No hay elegancia en ninguna de estas soluciones y te garantizamos que te arrepentirás de haberlas utilizado. Sí, sabemos que es difícil evitar una situación así pero no es la manera de proceder. Si quieres que alguien confíe en ti con todo su corazón, tendrás que demostrarle que sabes cómo tratarle. Los chicos listos tarde o temprano acabarán dándose cuenta de que no eres diplomática con los rechazos y no te darán la oportunidad de acercarte a ellos. Hazlo con clase, y reconoce que el que alguien demuestre interés por ti –deseado o no– es un regalo. Tú podrás rechazarlo pero no dejes de respetar la buena fe del que te lo ha ofrecido.

Recuerda que los chicos suelen apreciar el enfoque directo, y les basta con un simple «no, gracias». No hace falta que le presentes una larga lista de excusas como que tienes que hacer deberes o visitar a tu abuela para que comprenda que no quieres estar con él. Limítate a decirle, «Lo siento pero no puedo. De todas formas gracias por preguntármelo». Para muchos chicos esta respuesta basta. Incluso aunque no te muestres demasiado convencida, él considerará que ya ha expresado su interés y dejará que seas tú quien lo intente de nuevo –si quieres. Si persiste, podrías añadir algo así como, «Yo sólo quiero que seamos amigos».

Desgraciadamente algunos chicos persistirán incluso después de un rechazo educado, y entonces tendrás que ser brutalmente honesta. No aguantes a nadie que sea violento contigo o que te moleste. Sé educada, clara, firme. Un no es un no. No le des faltas esperanzas con respuestas ambiguas como, «Ahora no puedo quedar», o «Estoy demasiado ocupada». La verdad es que, si estuvieras interesada, harías el esfuerzo y encontrarías el tiempo. Habla claro para no dejar nada sin definir y de esta manera podáis tomar la decisión más oportuna. Está claro que es difícil hablar sinceramente, pero a la larga es lo mejor. Si eres honesta y sincera, él conseguirá superar el rechazo y seguir siendo tu amigo.

Encaja el golpe

Aquí tienes algunas noticias desagradables para ti: por mucho que sus señales indiquen que le gustas, siempre hay un margen de error cuando se trata de imaginar los sentimientos de los demás. Existe la posibilidad de que él diga «no gracias» a tus proposiciones. Obviamente, cuando más trabajo preliminar hayas realizado y cuanto más feedback positivo hayas recibido, menos posibilidades tendrás de ser rechazada. Pero en el amor «no hay nada seguro».

En una relación de amistad es necesario que haya una persona valiente que dé el primer paso hacia la intimidad. Si eres tú quien lo da y te encuentras con un rechazo, no es el fin del mundo. Es el fin de tus posibilidades de romance con ese chico. Al principio hiere –especialmente si has invertido gran cantidad de tiempo y energía en perseguirle. Pero sé honesta contigo misma, te has divertido en la caza ¿verdad? Muchas veces todo resulta maravilloso. Si decides lanzarte y eres rechazada, por lo menos lo habrás intentado. Si no lo intentas, nunca sabrás lo que hubiera pasado.

7

El gran día

¡Felicidades! Has ganado el graduado en el arte del flirteo. Todo el trabajo duro que has estado realizando ha sido recompensado y has conseguido una cita real con ese chico.

```
Meg,

¡Me ha llamado Ian! Hemos estado hablando un rato; me ha
dado las gracias por haberle ayudado a elegir el regalo
para sus padres y me ha dicho que le gustaría salir conmi-
go el próximo viernes. Su padre le ha dado dos entradas
para ir a un partido de básquet. ¡Una cita real! ¡Me muero
de ganas! ¿Qué me pongo? ¿Cómo me peino? Quiero estar
guapa -pero sin parecer que me he esforzado demasiado por
ello. ¿Qué pasa si no tenemos suficiente conversación para
tres horas?

Tara
```

Si estás nerviosa sobre los posibles silencios en vuestra gran cita, haz un poco de ensayo previo. Piensa en algunas cuestiones que requieran algo más que un sí o un no por respuesta. En cuanto consigas que empiece a hablar de sus intereses personales, las cosas irán saliendo por si solas. A veces las conversaciones con los chicos suelen salirse por la tangente, alejarse del punto original.

A pesar de todo, es una calle de dos direcciones. Él también tendrá que llevar su carga. Tú podrás animarle simplemente mostrándole tu interés por lo que está diciendo y preguntándole los detalles. Si sois adecuados el uno para el otro (de momento) no será difícil. Si no lo sois, bastarán tres horas para daros cuenta de ello. Pero esto son las citas. Son algo así como entrevistas de trabajo. Se trata de averiguar más sobre la otra persona para descubrir si cada uno de vosotros es adecuado para el «puesto» de novia o novio. Si resulta que él no es adecuado para el puesto, no pasa nada. Hay muchos otros candidatos anhelando ese puesto.

```
¡Meg al rescate!

¡Buenas noticias! ¡Ian es una buena oportunidad que no
deberías perder! Un partido de básquet puede ser algo
divertido. Pero, no hace falta que te arregles demasiado
para ello. ¿Por qué no vienes a casa y te pruebas mi cami-
seta de la suerte? -es la que llevé en mi primera cita con
Bryan (y créeme, ¡fue una cita maravillosa!). Te recogeré
mañana después del colegio.

Meg
```

75 horas, 30 minutos, 20 segundos, y empieza a contar...

Para ti, parte de la diversión de salir con alguien está en los preparativos. Pero el afortunado chico... digamos que ve las cosas de diferente manera. Para ilustrar esto que acabamos de decir veamos un ejemplo de cómo se desarrollaría una escena conforme va acercándose el día de la gran cita.

51 horas

Tú: llamas a tus «asesoras» para que revisen tu vestuario para la gran cita. Combinas tus cosas con las suyas y representas un desfile de moda mientras ellas te miran tumbadas en la cama.

Él: está jugando a básquet con sus amigos. Ni siquiera ha mencionado lo de su cita.

27 horas, 42 minutos

Tú: simulas conversaciones graciosas con tus amigas para comprobar tu habilidad de tratar temas difíciles (por ejemplo, la caza de moscas, las estadísticas de básquet, los insectos africanos).

Él: está jugando a un videojuego con sus amigos. Todavía no ha mencionado vuestra cita.

19 horas, 13 minutos

Tú: eres totalmente incapaz de concentrarte en tu trabajo del colegio. Has enviado 12 e-mails a tus amigas para que te asesoren sobre algunos temas que te preocupan.

Él: comprueba para asegurarse que tiene una camisa limpia, después se sienta a terminar los deberes con la música a todo volumen.

3 horas, 23 minutos

Tú: sales a toda prisa del colegio para que te dé tiempo de darte un gran baño relajante.

Él: acaba de terminar un partido de básquet y se dirige con sus amigos a una hamburguesería. Cuando éstos le sugieren ir al cine, él contesta que no puede porque ha quedado. Todos empiezan a importunarle diciendo que está enamorado.

1 hora, 10 minutos

Tú: te has probado ya 13 productos diferentes para maquillarte intentando dar con ese «look natural» que le gusta a los chicos. Te secas el pelo moldeándotelo a la vez.

Él: está viendo una reposición de la película *Baywatch*.

28 minutos

Tú: te pruebas tres tops diferentes y dos pares de vaqueros antes de ponerte el conjunto «aprobado por todas».

Él: mira su reloj y decide que todavía le quedan 10 minutos.

12 minutos

Tú: te das cuenta de que tienes un rizo en el pelo que ha aparecido de repente. Te empiezas a agobiar. ¡Empieza a cundir el pánico!

Él: se cambia la camisa.

7 minutos

Tú: estás intentando arreglar ese maldito rizo con gel fijador pero te ha quedado excesivamente duro. Esperas que tu cita no vaya a arruinarse porque él lo toque.

Él: está saliendo por la puerta con su padre.

2 minutos

Tú: estás satisfecha de que por fin tu pelo está bien; después casi te pones a llorar cuando ves una mancha en el pantalón.

Él: llega justo a tiempo para encontrarte abriendo la puerta con toda tu calma y con un aspecto fabuloso.

La moraleja de la historia

Los preparativos son para ti. No quiere decir que él no vaya a apreciarlos, indudablemente apreciará lo guapa que estás. Es simplemente que él apreciaría de la misma manera lo guapa que estás si simplemente te hubieras duchado y hubieras salido a recibirle. Él nunca te hubiera pedido para salir si no te encontrara atractiva. Así es como funcionan la mayoría de los chicos. Si les gusta tu aspecto, estarán deseando tener la oportunidad de conocer tu personalidad.

Las mujeres solemos actuar de diferente manera. Si un chico nos pide para salir y no es el chico más atractivo del planeta, a lo mejor aceptamos la invitación. Si nos gusta su personalidad, estaremos deseando tener la oportunidad de conocer su atractivo, de conocerle un poco mejor. Si es divertido, honrado y listo, nos atraerá cada vez más y al final acabaremos decidiendo que es el mejor chico del mundo.

Es fácil creer que los chicos son iguales que nosotras, pero simplemente no es así. Si te pide para salir un chico, limítate a pensar que es porque él cree que puede «echar un polvo» contigo. Incluso después de decidir que no le gusta tu personalidad probablemente estará de acuerdo en un «buen polvo» (no eso que tú le estás ofreciendo). Por el contrario a ti te horrorizaría la idea si el chico no te gustara. Como ya hemos dicho, los chicos están estructurados de diferente manera. Así que no te preocupes demasiado por tu aspecto en tu gran cita. Tomarse un baño relajante puede ser divertido y quizás ésta sea la ocasión especial para hacerlo. Hazlo por pura autoindulgencia y para sentirte más relajada y confidente. Pero, recuerda que no lo estás haciendo por él.

Esto nos recuerda otro punto. Cuando te diga un cumplido como «estás preciosa esta noche», limítate ha contestar «gracias». Si respondes riendo o diciéndole «tendrías que revisar tu vista», pensará que no te gusta nada que te piropeen y seguro que tú no quieres que lo piense, ¿verdad? Los chicos temen parecer lascivos y por eso muchas veces no saben hasta que punto pueden admirarte sin parecerlo. Lo que es seguro es que si no lo pensaran no lo dirían. Disfruta del momento —estás preciosa.

No importa

¿Te molesta que él no haga unos grandes preparativos? No. Esta es una de las verdades básicas de la vida: por muy loco que esté un chico por ti, no hará muchos esfuerzos por parecer más atractivo. Él se imagina que la limpieza es suficiente —y, no está demasiado equivocado, ¿verdad? Esto no quiere decir que no esté interesado por ti. Simplemente significa que.. bueno, que es un *chico*, y eso es todo. No es que esté menos emocionado que tú por la gran cita.

De acuerdo, quizás sí que la emoción no es la misma. Los chicos no dan la misma importancia al hecho de salir con una chica que le dan las chicas. A los chicos les gustan las chicas, pero también les gustan otras cosas —el fútbol, los coches y las televisiones de pantalla gigante. También les gusta estar con sus amigos y les preocupa realmente lo que éstos piensen de ellos. Los chicos no se impresionarán nunca al oír que un amigo suyo ha estado preocupado por cómo se iba a vestir para la cita con esa chica.

A las chicas nos convendría seguir el ejemplo de los chicos. Todo tiene que ver con el equilibrio. Por mucho que pensemos que nuestro chico es totalmente imponente y que nos gusta pasar tiempo con él, necesitamos espacio en nuestra vida para muchas otras cosas (las amigas, la música, el chocolate, y las conversaciones e ideas interesantes). Tener novio es bonito, pero no es lo único importante en la vida (¡de verdad!), especialmente en la adolescencia. No querrás cometer el error que muchas mujeres cometieron de encandilarse tanto con otra persona que olvidaron su desarrollo personal. De la misma manera que pasas momentos maravillosos cuando sales con un chico, asegúrate de pasar también momentos maravillosos cuando no sales *con nadie*. De esta forma no perderás ni un minuto de tu vida mientras esperas a tener un chico con quien salir.

R-E-S-P-E-T-O

Cuando decidas dedicar parte de tu tiempo a un chico, asegúrate de que se merezca tu compañía. Tendrás que saber que su interés por ti es sincero y que no te está utilizando. Tendrás que estar 100 por cien segura de que te respeta y de que puedes confiar en él. ¿Cómo saberlo? Si ya te respetas a ti misma tienes mucho ganado. Reconoce que tú eres la número uno. Eres una chica ocupada, eres inteligente, y tienes talento, y él tiene una gran suerte por el hecho de que tú saques tiempo de tu apretada agenda para dedicárselo a él. ¿No es ésta la historia que te gusta contar? Nunca deberías sacrificarte por atraer o mantener a un novio, porque a largo plazo no funcionará.

Si se lo das todo demasiado fácil, no se esforzará lo más mínimo. Si quieres que él reconozca tu valor y aprecie la suerte que tiene de tenerte, es necesario que trabaje duro para ganarse tu aprobación. Si le haces la vida demasiado simple, dejará de esforzarse. No es simplemente una cosa de chicos —es de la naturaleza humana. Todos valoramos más aquello que nos cuesta ganar. No se lo des todo hecho; déjale que quiera algo más.

Aquí tienes algunas noticias: si estás saliendo con un chico y no te respeta, la culpa es únicamente *tuya*. Tú tienes que dictar las normas para ti misma y para los demás solicitando respeto y apreciación. Si no estás siendo tratada adecuadamente, ABANDÓNALE. Por muy enamorado que esté, o por mucho que te guste, si no te trata bien deberías deshacerte de él. Si quieres un chico que te aprecie y te mime (¿y quién no?) debes atenerte a unas normas simples.

Ten agallas

Tendrás algunas citas fabulosas y otras horribles (este tema podría ocupar todo un libro). Pero la mayoría de ellas será algo intermedio, ni demasiado buenas ni demasiado malas. Tu intuición normalmente te dará una pista sobre si volver a verle o no. No hay nada malo en volver a quedar con él aunque estés convencida de que no va a funcionar. A veces, serán necesarios varios encuentros para tomar claramente una decisión. No obstante, tendrás que evitar decir «sí» cuando sabes a ciencia cierta que no hay nada. Si tu instinto visceral te está diciendo «corre», no digas «sí» simplemente para no herirle. Con el tiempo irás desarrollando una especie de sentido que te ayudará a ver quién es adecuado para ti. Al final, no lucharás más que por lo que te conviene. Te sorprenderá ver la cantidad de chicos que valoran tu compañía y lo bien que te tratan para mantenerla. Espera siempre un poco más, lo conseguirás. Y, prepárate para alejarte cuando no lo consigas.

Vive la vida

- No te quedes ahí sentada al lado del teléfono. Si tienes que salir, hazlo. Si te llama y no estás, ya lo intentará de nuevo.

- No le antepongas a tus compromisos con tus amigas, tu trabajo escolar, tu empleo, tus demás intereses –todo es importante.

- No esperes a hacer los planes para el fin de semana. Si el jueves todavía no te ha llamado, haz otros planes. Dedica tu tiempo a aquellos que lo valoran –como son tus amigas.

- No juegues. Sé directa. Si espera demasiado a pedirte para salir, haz otros planes. Sal y diviértete sin él.

- No hagas demasiado por él. No te mates en tricotarle un jersey o en hacer sus deberes. Si realmente tienes tiempo libre, mejor lo llenes con otras cosas.

- No seas celosa. Tendrías que confiar en tus propios encantos. Si él te da motivos para estarlo, ¿por qué malgastar tu tiempo con él?

8

Labios calientes

Recuerda esto,
Un beso siempre es un beso,
Un susurro es sólo un susurro.
Lo fundamental es lo que importa,
Cuando dos lenguas se encuentran.

Así pues, ¿cuál es el secreto de los besos? Dos personas juntan sus labios, ¿y qué? Visto así, es difícil comprender qué hay de romántico en el besuqueo. Pero cuando dos personas que se quieren, se besan, el hecho se convierte en un acto increíblemente íntimo. El beso humilde, el paso hacia otros actos de mayor intimidad, es en sí mismo y por sí mismo muy gratificante.

En la escala de tensión, el final de la primera cita puede llegar bastante alto. Estarás pensando, *¿Quiere besarme? ¿Lo intentará? ¿Quiero besarle? ¿Debería intentarlo yo primero para romper el hielo?* Será realmente estresante para ambos. Ambos estaréis intentando calibrar no sólo vuestro propio deseo de besar sino también el de la otra persona. Si él no lo hace, quizás no esté realmente interesado. Por otro lado, ¡quizás esté demasiado nervioso para intentarlo!

Para complicar más el tema, puede ocurrir que aunque haya sido una cita magnífica y te guste el chico, no te parezca interesante la idea de sellar la relación con un beso. La atracción es algo muy complicado. No se puede explicar porqué preferimos a una persona y no a otra. Pongamos por caso que hayas estado hablando durante horas con el chico más atractivo del colegio y estás impresionada por lo mucho que tenéis en común. Ha sido indudablemente una buena cita. Pero sorprendentemente cuando os despedís solamente os dais la mano. Dos semanas más tarde, sales con otro chico que no es tan encantador ni atractivo, pero que sin embargo notas una sensación que te urge a saltar por encima de la mesa para ponerte a su lado y silenciar sus estúpidos comentarios con un gran beso. ¡Quién lo iba a imaginar!

El primer contacto

¿Va a besarte esta vez? ¿Cómo lo sabrás? ¿Lo hará bien? ¿Lo haré yo bien? ¿Podré equivocarme? ¿Qué pasa si cuando le estoy dando un beso empieza a reírse de mí? Por culpa de no querer anticiparte acabas ahí de pie, esperando a que ocurra, e intentando *no parecer* como si estuvieras esperando que ocurriera. Inevitablemente, cada vez estás más nerviosa, o bien te das la vuelta y entras en casa para romper la tensión, o lo que es peor, empiezas a parlotear para llenar el vacío.

Sólo Dios sabe qué está pasando por la cabeza de un chico en ese momento. Él sabe a ciencia cierta que tú estás esperando el beso, pero tiene sus propios demonios. Al final lo que tendría que ser algo simple y directo no lo es. Ahí estás tu, deseando que lo haga, examinando su lenguaje corporal para notar alguna pista de un beso inminente, intentando dar las señales adecuadas manteniendo al mismo tiempo un cierto aplomo. Hace 10 minutos se comió un caramelo de menta –esto debería ser una buena señal– y no para de mover los pies y dar vueltas de un lado a otro. Si no quisiera hacerlo, se marcharía ¿no? Oh, espera, parece que inclina la cabeza... **¡Sí, Sí!** Señoras y señores, ¡hemos entrado en contacto!

Esas de vosotras que ya seáis expertas en el arte del besar, ya habréis descubierto que el primer beso no siempre es como lo hubieras imaginado. Muchas de nosotras solemos imaginar algo basándonos en los besos de las grandes películas de Hollywood. En las películas, siempre se ve claramente cuando un beso se está acercando. Las dos estrellas intercambian miradas seductoras al mismo tiempo que empieza a sonar una música de fondo. Él se acerca en el momento exacto en que ella inclina la cabeza anticipándose y ocurre lo que todos esperábamos. Lo que solemos olvidar es que estos besos están *escenificados*. Cada uno de los movimientos ha sido cuidadosamente coreografiado para que parezca perfecto. Con todo, el beso que al final aparece en escena puede haber requerido media hora de ensayo para que fuera correcto. Lo que uno nunca ve son las tomas que no fueron perfectas. Lo mismo ocurre en la vida real.

Incluso aunque hayas entrenado mucho, puede ocurrir que el primer beso con un chico resulte un verdadero desastre simplemente porque el ángulo no sea el correcto o porque los dos inclinéis la cabeza hacia el mismo lado. Y ¿qué me dices de cuando chocan las narices o los dientes? Podríamos imaginar que esto es el fin del romance pero nunca es así. Reiréis y lo intentaréis de nuevo, y la próxima vez seguro que sale perfecto.

La política del besuqueo

En vista de todo lo que envuelve un simple beso, no es necesario preocuparse porque no ocurra en un primer encuentro. A lo mejor tendréis que salir juntos varias veces antes de que él consiga excitar los ánimos para intentarlo y tú para recibirlo. Quizás él también esté preocupado por si sale mal. Y horror, ¿qué pasaría si cuando por fin decide besarte tú le pones la mejilla? Para él, esto sería «el beso de la muerte». Por norma general, el que una chica rechace un beso en los labios significa que no quiere más intimidad con ese chico. Por otro lado, si un chico deliberadamente opta por el camino seguro y decide darte el beso en la mejilla, no te alarmes. Seguramente está preparándose para el auténtico beso.

Está comprobando las señales que tú le das. A lo mejor piensas que estás dando una imagen de chica confiada y serena cuando en realidad no es así. ¿Estás mirando todo el rato al suelo o intentas no mirarle a él para no demostrar tu nerviosismo? Recuerda que los chicos no están especialmente dotados para leer tus expresiones. Lo que él lea como nerviosismo a lo mejor también lo interpreta como desinterés. Si tienes la sensación de que le gustaría darte un beso pero no lo hace, tendrás que dar tú el primer paso. Recuerda que es casi imposible fallar un beso; lo peor que puede ocurrir es la falta de coordinación, así que relájate. El instinto pronto empezará a funcionar y verás como lo haces bien.

El beso de tornillo

De todas formas un beso siempre termina de manera segura y perfecta si alguno de los dos se siente atraído por el otro. Sin nerviosismo, cada uno de los besos puede ser como los de las películas –pero, ¿porqué preocuparse? Un beso sin interés amoroso es una cosa desalmada. De hecho, si de verdad no tienes ningún tipo de interés en el chico con quien te estás besando, puede llegar a ser algo incluso desagradable. *Por Dios,* pensarás, *no quiero hacerlo. Espero que no lo intente –¡puaj!* Cuando un chico no te atrae, la idea de tener su lengua moviéndose en tu boca es algo así como... repugnante. Después de todo, es una lengua. Pertenece a su boca y no a la tuya.

¿Recuerdas cuando te enteraste por primera vez de que un beso era algo más que el contacto de los labios? ¿Te atrajo la idea? Probablemente no. Y por mucho que ya sepas de con qué te vas a encontrar, la primera vez que ocurre suele ser algo así como chocante. ¡Es algo *misterioso*! Lo más misterioso es lo agradable que resulta hacerlo con el chico correcto, especialmente cuando te sientes totalmente a gusto con él. Cuando te sientes realmente atraída por un chico, «magnífico» es la palabra que utilizarías para describir lo que estás haciendo.

Lo malo y lo feo

Como ya hemos mencionado, el besar es una habilidad principalmente instintiva. La parte negativa es que algunos chicos ¡sólo tienen instintos malos! Te besarán aunque estés intentando con todas tus fuerzas mandarle señales claras de «no te atrevas». Si no quieres que esto ocurra, mantente firme, él no dudará ni un momento. Esta es precisamente una de las ironías de la vida.

¿Y qué me dices de los chicos que a pesar de todas las oportunidades de besarte a solas, prefieren hacerlo en los pasillos del colegio, en el centro comercial o en la fiesta de algún amigo? Ten en cuenta que el besuqueo generalmente sólo es divertido e interesante para la pareja involucrada. Es un acto de intimidad –y lo íntimo es privado y personal. ¡Llévatelo a casa! Si alguno de los dos tenéis necesidad de una PDA (demostración pública de afecto), quiere decir que no tenéis confianza -que tenéis una necesidad de «demostrar» a todo el mundo que sois el uno del otro. Esto no es romántico; es forzado. No hay nada de malo en que os deis uno o dos besos en público, pero los excesos siempre son malos.

Intenta evitar las posibles situaciones embarazosas. Incluso el beso más apasionado puede terminar en moretones que de alguna manera serán vistos como reproches a tu carácter. Los moretones aparecen fácilmente y son difíciles de disimular. Estás en medio de un abrazo delicioso y de repente el Conde Drácula parece que se ha apoderado del cuerpo de tu amigo. Se engancha a tu cuello como si fuera una aspiradora y en pocos segundos un enorme morado aparece. Alguna vez hemos visto uno en un chico y enseguida hemos sospechado que alguien se lo hizo deliberadamente como una forma de «marca». Tú no eres la vaquilla de nadie, así que no dejes que te trate como parte de su rebaño.

Afortunadamente, los besucones lascivos son pocos y están muy dispersos. Lo más normal es que la mayoría de tus besos sean experiencias placenteras tanto para ti como para tu pareja. Limítate a mantener tus labios apetecibles y bien lubricados con brillo y bálsamo. Y para asegurarte que tu aliento no apestará, lávate los dientes a menudo y pásate el hilo dental entre ellos. No querrás dejarte un trozo del pescado de la cena y que al cabo de 24 horas de descomposición lo descubra él. Cuando te estés lavando los dientes, dale también a la lengua un cepillado con el cepillo de dientes. Si has tomado tomas las precauciones, te sentirás totalmente segura a la hora de besar. De esta manera tu mente estará libre para pensar sólo en qué hermoso es besarse con ese chico tan especial para ti.

9

Así que ya tienes novio
(por lo menos esta semana)

Ese chico tuyo lo es *todo*. Es mono y dulce, considerado y fiable, y te trata mejor que a una tarjeta de crédito oro. El único problema es que todavía no te ha pedido para salir.

Qué bonito sería si los chicos fueran directos al grano y te preguntaran, «¿Quieres ser mi novia?». Es una frase realmente sencilla pero que a los chicos no les sale fácilmente. La palabra «novia» implica «compromiso». Y el compromiso significa «estar atrapado» y estar atrapado significa «la muerte está cerca». ¿Exageradas? ¿Quién, nosotras? Nunca. Te sorprenderá ver lo cerca que están localizadas las palabras *compromiso* y *muerte* en el léxico de un chico joven.

Podrías coger a tu chico de la mano y decirle, «¿Somos oficialmente pareja o no?» Por otro lado, podrías coger una aguja y clavártela en el ojo. No sería tan agonizante como ver a tu chico retorciéndose de dolor mientras sopesa el afecto que te tiene y su miedo al compromiso. ¿Necesitas realmente ver esto?

El chico perfecto

¿Por qué no intentas primero hacerlo a nuestra manera? Es fácil y no hace falta que te lances cuchillos contra ti misma. Todo lo que tienes que hacer es echar un vistazo a tu alrededor. ¿Pasáis mucho tiempo juntos? ¿Le llaman tus amigas tu novio? ¿Os consideran pareja sus amigos? ¿Se acuerda de llamarte cuando sabe que has tenido un día estresante? Si contestas afirmativamente a todas las cuestiones, evidentemente se trata de un novio aunque no sea oficial.

Recuerda que «novio» es solamente una palabra. Si parece un cerdo y gruñe como un cerdo, probablemente sea un cerdo. ¿Qué diferencia hay entre salir con «Peter» el viernes por la noche o salir con «mi novio Peter» el viernes por la noche? De acuerdo, quizás haya una diferencia en el grado de confianza que hay en la relación, pero Peter sigue siendo Peter tanto si le enganchas como si no una etiqueta en la frente que ponga «novio». En las primeras etapas de una relación, deberías aceptar que habrán zonas en penumbra.

Ten mucho cuidado a la hora de discutir sobre tu «estado». Nada hará correr más rápido y más lejos a un chico que si le dices, «tenemos que hablar de nuestra relación», o «tengo que saber cuál es mi situación contigo». Estas afirmaciones serán procesadas por su mecanismo de traducción como «He elegido mi vestido de novia».

Es natural que quieras alguna noticia tranquilizadora de que él considera vuestra relación como algo exclusivo. Pero ahora que sabes que los chicos se asustan fácilmente, quizás podrías esperar a conseguir el título formal hasta que él lo utilice. Al principio lo oirás de pasada, como si se le hubiera escapado por accidente. Un día de repente os encontraréis con algún amigo suyo y él te presentará como su novia. Quizás cuente alguna historia sobre los tiempos salvajes con sus amigos y añada, «pero eso fue antes de que tuviera novia». Este es el tipo de cosas que tú estás buscando. Los chicos prefieren hacer las cosas de manera «informal». Tendrás muchas ocasiones para comprobarlo. Harán suposiciones sorprendentes y las dirán de improviso en una conversación, porque la otra palabra que más odian después del compromiso es la *confrontación*.

Si la situación es realmente fastidiosa para ti, intenta hacer algún comentario pasajero sobre un evento futuro para comprobar si él está pensando en ti a largo plazo. Por ejemplo, si es octubre, dile que te gustaría que te diera algunas clases de *windsurf* este verano. Si responde a tus planes de futuro con entusiasmo querrá decir que considera vuestra relación como algo serio. Y a no ser que hayas estado inventando toda la atención que te ha prestado últimamente, seguro que responderá con entusiasmo. ¡Todo parece indicar que ya tienes un novio, novia!

Algunas indicaciones

Puesto que has sido tú quien se ha involucrado voluntariamente en la compañía de un macho, te servirá de ayuda examinar qué es lo que a ellos les fastidia. Conocer en qué son diferentes a nosotras te ayudará a evitar complicaciones. Podrás extinguir cualquier llama antes de que se convierta en un fuego de gran peligrosidad. Eso es lo que a ellos les gustaría que supiera su novia:

1. Los chicos abren la boca cuando quieren. Si se les obliga la cierran herméticamente. Y lo que es peor, a lo mejor llegan a decirte cosas que no te gustará escuchar. Conforme os vayáis conociendo mejor y se vaya sintiendo más cómodo, te sorprenderás gratamente al escuchar todas las cosas agradables que tu amorcito tiene que decir sobre ti.

2. Habla ahora, o cierra la boca para siempre. Si ha hecho algo que ha herido tus sentimientos, habla. Puede que cometa el error de tratarte como trataría a sus amigos, y que no se de cuenta de que ha herido tus sentimientos. Por ejemplo, si llama a su amigo «rechoncho», seguramente a él no le importará.

3. Dilo de manera sencilla y rápida. Por ejemplo, en lugar de contarle que de pequeña eras muy regordeta y que estabas muy afectada por ello, limítate a decirle, «no me gusta que me llamen rechoncha». Caso cerrado. Apreciará tu sinceridad y te prometerá que nunca más te llamará así.

4. No le invites a analizar tu vida. Si no le gusta analizar sus sentimientos, de ninguna manera le va a gustar analizar cómo sientes tú. Deja que lo hagan aquellos que disfrutan haciéndolo –tus amigas.

5. Acéptale tal como es. Es insultante para él que intentes cambiar sus cualidades básicas, esas que le hacen ser el chico fabuloso que es. Un sabio dijo en una ocasión, «Nunca intentes enseñar a un cerdo a bailar. Lo único que conseguirás es acabar frustrado y decepcionar al cerdo».

6. Resiste la necesidad de resolver sus problemas por él. Sabemos que tú intención es buena y él también lo sabe, pero si algo le está preocupando, quizás no quiera tu ayuda. Si no le fuerzas, a lo mejor es él quien acude a ti. Mientras tanto, cierra la boca y escúchale. Si necesita tu consejo, ya te lo pedirá.

7. Déjale espacio. Sus amigos intentarán presionarle si pasa demasiado tiempo contigo. Él necesita tiempo para estar con sus amigos. Y, esto no quiere decir que tú vayas con él. No seas garrapata.

8. Deja atrás el pasado. No empieces a darle la lata con tu antiguo novio. ¿Te gustaría que él hablara de sus ex? Y no intentes hacer resaltar tus cualidades hablándole de los chicos a los que gustas. Es una chiquillada.

Meg,

Ayer me lo pasé perfecto con Ian. Fuimos a una barbacoa familiar porque era el cumpleaños de su padre. Su padre es fantástico, por cierto, y me contó todas las monerías que Ian hacía cuando era niño. Sin embargo, creo que Ian no disfrutó tanto como yo. De todos modos, nos lo pasamos en grande. Me cogió la mano -delante de su familia- y cuando su padre me dejó en casa, Ian bajó del coche y me dio un beso de despedida. Después me dio las gracias por haber ido a la fiesta y dijo, «Es la primera vez que invito a una novia mía a una comida familiar». ¡Estoy tan contenta!

Tara

Ya ha empezado a molestarme

Meg,

Necesito tu consejo. Hace ya una semana que salgo con Ian, y ayer empecé a sentir pánico o algo similar porque de repente cuando estaba hablando con él me di cuenta de lo grandes que son sus orejas. Nunca me había fijado y no será porque no he pasado horas y horas mirándole. Cuando estaba intentando olvidarme de eso empezó a bromear conmigo sobre su profesor de ciencias y de repente empezó a parecerme un poco bobo. Por un segundo pensé que ya no me gustaba y me sentía mal porque creí que lo estaba notando. No estoy segura de qué es lo que me está pasando -¿has tenido alguna vez dudas acerca de Bryan?

Tara

Hola Tara,

¿Estás bromeando? Todavía sigo teniendo dudas acerca de él. Creo que tiene algo que ver con el decidir no salir con ningún otro chico. Es una gran decisión, ¿no crees? No seas tan dura contigo misma. Ian es fantástico y poco a poco te irás acostumbrando a la idea de que es tu novio. ¡En serio!

Meg

Si experimentas algunos baches en el camino del amor, no te preocupes. No quiere decir que todo haya terminado. Simplemente estás en un periodo de ajuste. Aunque algunas chicas son capaces de lanzarse a una relación en un abrir y cerrar de ojos, otras necesitan proceder con más cuidado.

Además es algo totalmente normal el experimentar algo así como una decepción una vez la caza ha terminado. Ya has cazado al chico y las cosas empiezan a asentarse. Es maravilloso, ¿no? Sí, pero también puede ser un tanto decepcionante. Es asombroso ver que tan pronto nos embelesamos al ver lo atractivo que es nuestro chico, como empezamos a replanteárnoslo después de verlo bailar. Nunca te hubieras imaginado que pudiera estar tan zumbado.

Afortunadamente, él nunca sabrá que tú estás teniendo segundos pensamientos. Puede que él también esté intimidando algunos propios. Limítate a tomar aire y a adaptarte a la nueva situación. Cuando hayas descendido de la montaña rusa del noviazgo aprenderás a amar la calma de nuevo, y probablemente apreciarás de verdad el hecho de que algunos chicos te encuentren siempre atractiva, encantadora y divertida.

Seguro que habrá momentos malos y te vamos a dar un consejo: tómatelo con calma –y mantén tus expectativas bajas. Siéntate de nuevo y piensa si él es el problema o es algo tuyo. No esperes que un chico sepa lo que necesitas en cualquier momento, o que cree una confianza en ti que nunca ha habido antes. El amor es una cosa maravillosa, pero no es mágico.

Mientras tanto, otórgale a tu nuevo compañero el beneficio de la duda. Recuerda todas las razones por las que te atrajo en un principio. No empieces a buscar sus defectos y no hagas que esté constantemente probándose a sí mismo. Nadie es perfecto, ¡tú tampoco lo eres! Estate orgullosa de tu chico y de ti misma por haber conseguido atraer a un tipo así.

Mima a tu chico

Te sientes cómoda con tu adorable príncipe azul (por el momento) y probablemente te apetezca hacer algo bonito por él. Encontrar el regalo perfecto para un chico es algo muy difícil. Te gustaría darle algo que le gustara pero que a la vez fuera original. Que tampoco fuera exagerado, sino un detalle. Y, lo más importante, que no sea caro. ¡El amor tiene límites!

Aquí tienes algunas sugerencias para empezar a buscar el «regalo perfecto»:

1. De él y de ella. Podrías comprar un par de pendientes. Dale uno a él y guarda tú el otro.

2. Tiempo para ti. Un chico siempre puede llevar una correa de reloj elegante. Quizás piense en ti cada vez que mire la hora.

3. Un tubo de crema de manos. Dile que te gustan las manos suaves.

4. Gafas de sol con clase. Una persona no puede tener únicamente gafas de sol baratas.

5. Músico. Si toca algún instrumento, cómprale algún disco (quizás una canción que os guste a los dos) o un nuevo juego de cuerdas para su guitarra.

6. Loco por los cómics. Quizás le guste dibujar personajes de cómic. Si es así, lo más probable es que utilice lápices o gomas de borrar especiales.

7. Apasionado de la fotografía. Regálale un carrete de fotos o un vale para un revelado gratis o un marco de fotos bonito.

8. Un vale de compra para una tienda de música o de vídeo.

9. Revistas especializadas. Elige alguna que esté especializada en la afición de tu amigo (las carreras de coches o de motos, o una revista de cine).

10. ¿Le gusta la bicicleta de montaña? Probablemente le guste una botella de agua para enganchar en la bicicleta o un aparato para hinchar las ruedas o unos guantes de ciclismo.

11. ¿Totalmente estresado? Regálale algunos cupones para masajes gratuitos (por supuesto hechos por ti) o para arreglarle su armario.

12. Entradas de cine.

13. ¿Un Boy Scout? Mira en las tiendas de material militar. Hay gran cantidad de aparatos como navajas, o mini linternas en el mercado que le encantarían a tu Boy Scout.

Tara

He decidido seguir el camino tradicional de los regalos de aniversario para Bryan (en parte porque me ahorro dinero). He elegido unos moldes de pasteles con forma de corazón y encima he puesto virutas de chocolate. Me ha quedado bastante bien. Incluso he mojado la base de los corazones en chocolate blanco deshecho. Espero que le guste y que no se olvide de darme algo también a mi.

Meg

Artículos a evitar

- Una cartera para hombre
- Un video de «cómo bailar» los últimos bailes de moda
- Una suscripción a una revista
- Unos calzoncillos para hacer deporte
- Poesía de amor
- Cartas del tarot
- Cualquier cosa que vaya en una cestita

Un auténtica gran noche

Si quieres tratar a tu chico como algo especial, ¿por qué no le mimas durante toda una noche? Sal con él por la noche y organízala a lo grande de principio a fin. Podrías llevarlo a ver la última obra de teatro o musical. Consigue las entradas con descuento para estudiantes comprándolas por la mañana. Después cómprale una caja de cigarrillos de chocolate y recógele en su casa. Después del teatro ofrécele un helado o un café con leche y asegúrate de darle un beso cuando te despidas de él en la puerta de su casa. (A no ser que se haga tarde, en cuyo caso, te tendrá que acompañar él a ti.)

Está bien comprarle de vez en cuando un regalo, pero no le llenes de tonterías. Es mejor hacerlo solamente en ocasiones especiales, lo apreciará más. Asegúrate de darle las gracias por todo lo que él te regale. Una chica que conocemos consiguió disimular su sorpresa cuando su amigo le regaló un guante de baseball para Navidad y un libro de física para su cumpleaños. Puede que no veas la lógica en los regalos de tu novio –después de todo, las flores no son tan caras y siempre son bienvenidas. Entusiásmate con los regalos fantásticos y sonríe con los intentos fallidos. Deja que te mime un poco y después, de vez en cuando, demuéstrale que piensas en él.

10

La parte más atrevida

¿Has tenido alguna vez la sensación de que todos los jóvenes tienen relaciones sexuales excepto tú? Oyes hablar de ello en las noticias de las seis, lees sobre ello en los titulares, lo ves en tus programas de televisión favoritos, y te mira desde las estanterías de las revistas. Todo el mundo lo hace. De verdad. La vida no es más que una orgía de adolescentes prolongada y tú estás invitada. Reconocemos que estás recibiendo presión de los medios de comunicación, de los chicos, de tus amigas, incluso de ti misma. ¿Qué es lo que te refrena de tener relaciones sexuales? ¿Quieres acaso ser la última chica virgen del sistema solar? ¿Deseas conseguir la fama por ello?

¡Oh, cielos! Nada más lejos de la realidad. Esto nos hace recordar la famosa cita de Mark Twain: «Los rumores sobre mi muerte han sido enormemente exagerados». Lo mismo ocurre con los rumores sobre el sexo desenfrenado de los jóvenes. Sí, muchos de los jóvenes tienen relaciones sexuales, pero otros muchos no las tienen. Mira a tu alrededor y piensa en todos los jóvenes que conoces. ¿Tienen de verdad relaciones sexuales? O, ¿simplemente les gustaría tenerlas? O, ¿simplemente *creen* que les gustaría tenerlas? Nosotras nos adelantamos a decir que la mayoría de los chicos realmente quiere tenerlas, pero con las chicas, el asunto es un poco más complejo.

En esta etapa de la vida los pensamientos y conversaciones sobre temas sexuales son más que corrientes, y es difícil elegir qué es lo correcto para cada persona. Sabemos que es difícil ir en contra de lo que la mayoría piensa especialmente cuando en esa mayoría se encuentra tu adorable amigo. Y si tú realmente quieres hacerlo, ¿quién somos nosotras para detenerte? Ni siquiera vamos a intentarlo. Si hay algo que hemos aprendido es que la naturaleza es la que manda.

Lo que intentamos hacer es moderarte. ¿Por qué? Míralo así: tenemos muy poco control sobre muchas de las cosas que acontecen en nuestras vidas. Al principio, son nuestros padres quienes toman todas nuestras decisiones. Después, cuando por fin ya podemos tomarlas nosotros mismos, tendremos que considerar muchos temas como el trabajo, el pago del alquiler, los amigos, los socios, los hijos, la hipoteca, la salud y el destino. Las decisiones sobre cuándo, dónde, y con quién tener relaciones sexuales es una decisión sobre la cual tienes que tener completo control, así que mejor la consideres con mucho cuidado.

Si tuvieras la oportunidad de repetirlo

Lo que queremos decir es que es un gran paso, es un gran asunto, en el que más tarde vas a tener que pensar si ahora no lo haces con detenimiento. Y lo que es peor, llegarás incluso a arrepentirte si no reflexionas bien y tomas una decisión precipitadamente. No puedes imaginarte la cantidad de mujeres que conocemos que se han precipitado en tener relaciones sexuales y ahora están intentando olvidar su primera desagradable experiencia. Esto es algo que vas a recordar durante tus próximos 70 o más años de vida. ¿Te gustaría horrorizarte cada vez que pensaras en ella? Si las circunstancias de tu primer encuentro no son las adecuadas y si te sientes atemorizada, con prisas, incómoda y confusa, así es como precisamente lo recordarás. Sí, por supuesto que tendrás otros recuerdos más agradables, pero no te equivoques, tu primera vez es la que prevalecerá en tu mente.

La emoción graba las experiencias en tu memoria y no hay nada como un poco de miedo y confusión para grabar un momento determinado en tu materia gris. Un día, al cabo de unas décadas, estarás en un atasco con el coche y de repente algo te hará recordar ese momento —aquél en el que hiciste el amor por primera vez. Recordarás las miradas, los sonidos, y las sensaciones como si hubiera ocurrido ayer. Ahora, podrás apoyar la cabeza en el volante y esperar a que pase ese recuerdo o relajarte en el sillón, sonreír y disfrutar de nuevo del recuerdo. Tú eliges. Te guste o no, recordarás tu primer encuentro sexual. Asegúrate de que sea uno para guardar como un tesoro y no uno que te haga sentir triste, decepcionada o enfadada. Después de todo, sólo hay una primera vez.

No estamos con ello sugiriéndote que esperes a tener relaciones hasta que encuentres al amor de tu vida. Podrías esperar a que llegase tu príncipe azul cabalgando en su caballo blanco y matando a unos cuantos monstruos para conseguir tu mano. Podrías mantener tus piernas totalmente juntas hasta que te llevara hasta su castillo y te echara en una preciosa cama y te «violara». Desde luego que podría pasar. Pero esperar esto suena más bien a una recomendación paterna. Como dos mujeres que no tenemos ningún interés particular en tenerte encerrada hasta que llegue tu príncipe, estamos simplemente sugiriéndote que te tomes tu tiempo. Nos hemos dado cuenta de que para las mujeres, los cambios emocionales que preparan el trabajo preliminar para una relación sexual madura en muchos casos no están plenamente realizados hasta el final de la adolescencia. Para muchas de nosotras, incluso más tarde. Incluso nos atrevemos a decir que apenas hemos encontrado a una mujer que haya tenido relaciones antes de los 18 años y que al cabo de unos años se alegre de ello. Pero también sabemos que cada mujer es diferente y tiene que tomar sus propias decisiones sobre cuál es el momento adecuado de empezar a tener relaciones sexuales.

Si amas y confías en el chico con el que sales y te sientes totalmente a gusto con él y contigo misma cuando des el paso definitivo, en el futuro no tendrás nada de que arrepentirte.

Mentiras, mentiras, mentiras

«Todo el mundo lo hace.»

«Lo harías si de verdad me quisieras.»

«Voy a explotar –no puedes ni imaginarte la presión.»

«Los chicos simplemente lo *necesitan*.»

«También tú te sentirás mejor. No estarás tan tensa y nerviosa.»

Es bastante fácil decir *no* a los chicos que te dicen bobadas como éstas. Pero, ¿qué pasa cuando el que te las dice es el chico con el que hace meses que estás saliendo? Aquí es donde se complica la cosa. Tú le quieres y no quieres perderle. Pero piensas que todavía no te ha llegado el momento de intentarlo. ¿Qué hacer?

Abre la boca y ¡habla! Tienes que ser honesta con tu chico, y decirle lo que sientes. Si estás lo suficientemente unidos para hablar de sexo, también seréis capaces de compartir vuestras esperanzas y temores acerca de él. Vale la pena incluirle a él en esas esperanzas, así respetará definitivamente tu decisión. Si todavía no estás preparada para el sexo, mejor será que respete tu decisión o que se vaya a incordiar a otra. ¡Será él quien salga perdiendo!

Tara,

Estoy desesperada. No te puedes imaginar lo que me ha ocurrido hoy. ¿Te acuerdas de que hoy hace seis meses que Bryan y yo empezamos a salir? Le he regalado una caja de sus galletas favoritas con una postal. ¿Sabes que me ha regalado él? ¡Una caja de condones! Envolvió la caja e incluso le puso un lazo. Casi me muero. Me ha decepcionado del todo. De hecho hemos hablado de sexo miles de veces antes y siempre le he dicho que todavía no estoy preparada para ello. Últimamente ha estado intentando convencerme pero yo me he resistido. Incluso he empezado a evitar estar a solas con él para que no lo intente. Bueno, acabamos enfadadísimos y él se marchó furioso. No me ha vuelto a llamar y yo tampoco lo he hecho. Era realmente encantador, pero ahora no sé porqué está actuando así.

Meg

Escucha, escucha

¿Qué pasa si estás locamente enamorada de un chico pero tu instinto visceral te dice que todavía no estás preparada? La respuesta es simple: no estás preparada, así que no lo hagas. Pero hazle a ese chico un gran favor y dile qué estás pensando. No subestimes su instinto sexual. Es por lo menos tan fuerte como el tuyo, y la gran diferencia es que probablemente él esté dispuesto a dejar de lado todos los factores emocionales implicados en una relación sexual y lanzarse a ella. Probablemente tú no puedas hacer eso. Sí, los chicos también pueden sentirse confusos e inseguros sobre las relaciones. Pero en cuanto se meten en alguna presión social, empiezan a creer que su papel consiste en ser el agresor. Incluso aunque no estén seguros de querer empezar una relación sexual, cuando llevan cierto tiempo con una chica creen que esa chica está esperando a que él dé el primer paso (¡y probablemente no sea cierto!). Así pues, habla con él y dile lo mucho que le quieres, pero sobre todo déjale bien claro que estás a gusto con las cosas tal como están. Puede que incluso se relaje. Si bien es verdad que los chicos son 10 veces más impacientes (de acuerdo, 60) que las chicas en las relaciones sexuales, también es cierto que les preocupa la cuestión en general y que muchas veces están deseando que nosotras les pongamos el freno.

Por otro lado, si rechazas sus intentos pero no le explicas tus motivos verdaderos, podrá llegar a la conclusión de que en realidad no te gusta demasiado. Como ya te hemos dicho, cuéntale y comparte con él tus sentimientos. Dile que estás loca por él y que será el primero en enterarse cuando estés lista para empezar. Si realmente le gustas, esto es lo único que necesitará para sentirse más seguro contigo y se relajará un poco.

Meg,

Siento mucho lo del «regalo» de aniversario de Bryan. Es maravilloso saber que está dispuesto a ponerse un condón pero es triste que esté insistiendo tanto en tener relaciones contigo. Es deprimente cuando el chico que te gusta empieza a perder el control de esta manera. A lo mejor han sido sus amigos que le han incitado, ¿no crees? Aunque Ian y yo nunca hemos llegado a este extremo, ya hemos hablado de sexo. Le dije que todavía no estaba preparada para tener relaciones y me contestó que no le importaba. Él también es virgen todavía –y dice que no tiene ninguna prisa. Espero que lo diga de verdad. A lo mejor deberías llamar a Bryan y tratar de hablar del asunto.

Tara

Hola Tara,

Acabo de recibir tu mensaje y te prometo que no voy a volver a telefonear a ese cretino. He colocado el lazo de su maravilloso regalo al lado del teléfono por si me entran ganas de llamarle. El regalo se lo tiré a la cara cuando se marchó. A lo mejor está usándolo con alguna otra. No hacía falta que le dijera cuál era mi opinión al respecto, ya debería saberlo. Lo que más me fastidia es que siempre había pensado que él sería el primero. De verdad le quería pero simplemente necesitaba más tiempo. Ahora me alegro de no haberme acostado con él.

Meg

¿Es él el chico adecuado?

Supongamos que llevas saliendo unos meses con un chico. Es un chico cariñoso, te quiere y tú le quieres. Estás empezando a pensar que podría ser tu «compañero perfecto» para toda tu vida. Pero, sigues dudando sobre si dar o no ese paso definitivo. Quizás estás nerviosa o temerosa. Quizás te preocupe si él será capaz de soportar la intimidad de vuestra nueva relación. ¿Y si se asusta y te deja? O, quizás te preocupe que sienta la necesidad de compartir sus «logros» con sus amigos.

Cuando por tu cabeza empiezan a correr pensamientos de este tipo, respétate a ti misma y escucha. Probablemente sea tu intuición la que esté hablando. Hay algo que falla. Para poder disfrutar del sexo, tienes que estar relajada. Si tienes un nudo en el estómago y un escenario obsceno en tu mente, es imposible que te relajes. El sexo puede unir a dos personas, pero también puede alejarlas más rápida y dolorosamente que ninguna otra cosa si ambas no están 100 por cien seguras y preparadas para dar ese paso. Aquí tienes algunas historias tristes de personas que no supieron esperar su momento.

Hace seis semanas que salgo con Chris. El fin de semana pasado, me llamó una noche desde el móvil. Estaba en la puerta de casa y quería que le dejara entrar. Mis padres no estaban, y él lo sabía. Le dejé entrar y al cabo de poco rato estábamos revolcándonos en el sofá. Ahora sé que el chico no era el adecuado para mí, pero en ese momento me encantaba y quería seguir con él. Así que hicimos el amor. ¡No tuvo que obligarme! Estuvo bien —no vi estrellas ni nada por el estilo. Al acabar, se levantó para marcharse —dijo que sus padres le esperaban en su casa. Yo no quería que se fuese pero le acompañé a la puerta. Me acerqué a él para darle un beso de despedida y me puso la mejilla. ¿Puedes creerlo? ¡Acabábamos de hacer el amor y me puso la mejilla! Volví a la cama y me eché a llorar. Ha pasado ya una semana y todavía no me ha llamado, así que creo que todo ha terminado.

Apretar el botón de parada

Si te gusta realmente un chico y empezáis a besaros, verás como te resulta muy tentador traspasar sin querer los límites que tú misma te habías impuesto. Estaréis en plena sesión de besuqueo cuando de repente sin quererlo ni comerlo habréis empezado a bajar vuestras manos a la altura de los pantalones con un único destino. ¡Oh, oh! De pronto empiezas a pensar que «esto» no estaba en el programa.

Vas a tener que ensayar esta escena en tu cabeza varias veces, porque no podrás confiar en que las palabras adecuadas salgan de tu boca cuando la corriente hormonal esté entrando precipitadamente. Por muy madura que seas vas a tener problemas incluso para recordar tu propio nombre cuando estéis uno encima del otro. El choque de las olas de esta corriente hormonal es estrepitoso pero tú vas a tener que gritar más que ellas si sabes que no estás preparada para llevar las cosas al siguiente nivel. No dejes que las cosas vayan más allá porque pienses que tu compañero se enfadará contigo cuando pulses la alarma. Por supuesto que siempre puedes decir no. Pero llegado cierto punto, también es de esperar que él se sienta frustrado cuando lo hagas. Es un buen chico y se detendrá. Y, puesto que es tan buen chico, tú también tendrías que ser justa con él.

No cometas el error de pensar que puesto que las chicas tenemos derecho a «decir no» puedes continuar hasta que tú quieras. Esta es una actitud bastante egoísta por tu parte y no tiene cabida en una relación íntima. Si realmente te interesa tu amigo, considera también sus sentimientos y demuéstrale el mismo respeto que tú le exiges. Esto quiere decir que no le des esperanzas. Es injusto y si sigues haciéndolo empezará a pensar que estás tomándole el pelo –y tiene razón.

El enfoque maduro no es fácil. Quiere decir que no puedes meterte en una situación que sea más apurada de lo que puedas controlar. Si fuera fácil, no habría tantas mujeres bastante más mayores que tú que se quedan embarazadas –o peor– y todo porque no estaban preparadas para llevar las cosas tan lejos como las llevaron. Hacer el amor no estaba en el plan, pero una cosa lleva a la otra... ¡No seas tan irresponsable como los adultos! Antes de empezar a jugar el balón, toma algunas decisiones. ¿Cuántas bases va a poder correr?

Sexo más seguro

Sé realista. Si habéis sobrepasado la primera base y estáis convencidos de que algún día vais a tener relaciones sexuales, tendréis que tratar el tema un poco más en profundidad. Desgraciadamente, es mucho más fácil tener relaciones sexuales que hablar sobre ellas, pero hablar es necesario. Así pues, cuando estéis tratando la posibilidad de hacer el amor, asegúrate de que *ambos* estáis hablando en serio sobre la posibilidad de tener relaciones más seguras.

Utilizamos la expresión *sexo más seguro* en lugar de *sexo seguro* porque el único *sexo seguro* es la abstinencia (lo cual significa no tener relaciones). Siempre hay consecuencias al tener una relación sexual con alguien. Existe el riesgo del embarazo y de las enfermedades de transmisión sexual. Hay también consecuencias emocionales. El sexo puede cambiar la manera de sentirse con uno mismo y con la persona involucrada. A veces, estas emociones pueden llegar a ser muy dolorosas (especialmente si te has dejado llevar y has hecho algo para lo cual no estabas preparada). Si crees que no podrás soportar estas consecuencias, quiere decir que no estás preparada para tener relaciones. Y recuerda que debes estas preparada para controlarlas por ti misma. No hay garantías de que tu pareja vaya a estar ahí para ayudarte cuando lleguen momentos difíciles.

Si estás considerando seriamente empezar una relación sexual, tendrás que aprender primero los riesgos. Seguramente ya te habrán explicado en el colegio o tus amigos, que el sexo lleva consigo el riesgo del embarazo. Pero, ¿cuánto sabes de las enfermedades de transmisión sexual?. ¿Sabías que hay cerca de 25 tipos de estas enfermedades? Las más comunes son:

❀ HPV (Human Papiloma Virus).

❀ Clamydia.

❀ Gonorrea.

❀ Herpes.

❀ Hepatitis B y C.

❀ Sifilis.

❀ Trichomona.

❀ Hongos.

❀ Ladillas (insectos que anidan en el vello púbico y chupan la sangre.

❀ Virus de Inmunodeficiencia Humana (HIV). (Un virus que ataca las células que tienen funciones importantes en el sistema inmunológico.)

❀ SIDA (Síndrome de Inmunodeficiencia Adquirida). (Se cree que es causado por el HIV; el SIDA perjudica la habilidad de una persona de luchar contra la enfermedad, dejando su cuerpo totalmente abierto al ataque de algunos tipos de cáncer inusuales e infecciones que en condiciones normales son inofensivas.)

De no ser controladas estas enfermedades pueden llegar a producir esterilidad, daños en el hígado, cáncer cervical y en el hígado, infecciones en la vejiga y daños en los riñones, problemas circulatorios, daños en el corazón y en el cerebro, y en el caso del SIDA, incluso la muerte. Lo que es particularmente horroroso es que uno puede tener una enfermedad de transmisión sexual y no tener síntomas evidentes. Esto quiere decir que podrías tener una enfermedad y no saberlo. O, que tu pareja podría tenerla y sin saberlo contagiártela a ti.

¿Qué puede hacer una chica?

Si aún conociendo los riesgos decides tener relaciones sexuales, ¿qué tienes que hacer? Deberías insistir en que tu pareja utilice un condón de *látex* –¡no valen excusas ni peros! No supongas que estás fuera de peligro por tomar la píldora o algún otro método anticonceptivo, incluidos los condones hechos de otros materiales naturales. Estas cosas no te protegen contra una enfermedad. Y, por cierto, puedes coger enfermedades de transmisión sexual o HIV también con el sexo oral. La única cosa que es un 98 por ciento eficaz (sólo la abstinencia lo es un 100 por cien) para reducir tu riesgo a contraer alguna enfermedad es poner una barrera entre tú y la otra persona.

En el caso del acto sexual, esto quiere decir utilizar condones de látex correctamente cada vez. No te dejes llevar y te arriesgues ni una sola vez. Correr ese riesgo una sola vez podría cambiar tu vida para siempre y posiblemente acabar con ella. Para contraer una enfermedad basta con hacerlo una sola vez. No supongas que tu pareja será suficientemente responsable de comprar condones. Por supuesto, *debería* compartir esta responsabilidad. (Si no lo hace, podrías reconsiderar la posibilidad de tener relaciones con él.) Pero si no lo hace, tú deberías conseguir esa protección. Si eres lo suficientemente adulta para tener relaciones, eres lo suficientemente adulta para comprar condones. Recuerda comprobar la fecha de caducidad en la caja.

Por favor, no dejes que nadie eche por tierra tu decisión. Puede que te diga que no necesita ponérselo porque va con cuidado o porque no tiene ninguna enfermedad porque es virgen (los vírgenes también pueden tener algunas enfermedades, por ejemplo la hepatitis). Incluso la gente mejor y más de fiar coge enfermedades de este tipo. Recuerda, el peligro es que mucha gente que tiene estas enfermedades no lo sabe porque no tiene síntomas. Puede que te diga que no le gusta la sensación del condón, que son «demasiado restrictivos» o «asquerosos». Déjale claro que tiene dos opciones: sexo con condón o no sexo. Verás como pronto se acostumbra a utilizarlos.

Sabemos que puede resultar difícil y embarazoso sacar estos temas a relucir, pero será mucho más difícil y embarazoso explicarle a tu doctor que has cogido hongos o ladillas. Y no hablemos de lo difícil que sería tener que decirle al siguiente chico con el que quieras tener relaciones que *tienes* una enfermedad de la cual se ha de proteger.

Explícale que has decidido tener relaciones con él porque te importa mucho, y que como los dos estáis tan unidos, sabes que puedes ser sincera con él sobre la necesidad de hacerlo de una manera más segura para ambos. Te sorprenderá gratamente ver cómo una conversación de este tipo crea una intimidad tan enorme. Ambos os sentiréis más unidos que nunca.

Te hemos ofrecido los puntos básicos para tener unas relaciones más seguras. Pero puedes obtener información muy útil (incluidas maneras de abordar el tema de las enfermedades de trasmisión sexual) en centros de atención para jóvenes y en portales sobre salud en Internet.

¿Hemos conseguido que apartéis por ahora el sexo del amor, chicas? Lo sentimos mucho, pero a pesar de todo, el sexo no es sólo amor y romance. El sexo lleva implícitas toda una serie de responsabilidades no tan románticas. Asegúrate de estar preparada para enfrentarte a *todas* ellas antes de dar el gran salto.

Un último consejo

Si estás pensando que tu novio no está tan enamorado de ti como tú lo estás de él o crees que tu relación está cayendo en picado, **no cometas el error de tener relaciones sexuales con él esperando que así estaréis más unidos.** Si las cosas entre vosotros dos no van fantásticamente antes de tener relaciones, después de tenerlas seguramente irán *desastrosamente*. El sexo cambia la relación y el cambio es siempre estresante. Si ambos estáis comprometidos a mejorar vuestra relación os podréis ayudar mutuamente en estos momentos estresantes. Pero si no estáis totalmente comprometidos mutuamente, el estrés os separará aún más.

Tú no puedes obligar a otra persona a que te quiera o quiera estar contigo. Si un chico tiene dudas sobre sus sentimientos hacia ti, la misma técnica que utilices para acercarle un poco más seguramente será la que le haga alejarse de ti. Sí, estará más cerca durante unas horas. Pero después de que desaparezca el placer, se dará cuenta de que estás mucho más pegada a él que antes y que emocionalmente esperas mucho más de él. ¡Observa entonces cómo desaparece como un cohete!

Los jóvenes experimentan los mismos cambios que las chicas. Tienen que enfrentarse a un montón de decisiones y soportar una gran presión para averiguar quiénes son. El que tu chico disfrute sinceramente estando contigo y te asegure que le encantaría hacer el amor contigo, no quiere decir necesariamente que sea capaz de hacer frente a la intimidad emocional que vas a experimentar cuando tengáis ese tipo de relaciones. Incluso aunque no *creas* que la estás experimentando, lo estás –y a cierto nivel instintivo, él lo sabe. En general, si tienes relaciones sexuales con un chico, te sentirás más unida a él. Estos sentimientos están dentro de nosotras. Las chicas de las cavernas ya sentían lo mismo que nosotras acerca del chico de las cavernas, porque el sexo quiere decir niños, y los niños quiere decir responsabilidad, y la responsabilidad es mejor cuando es compartida. El sexo actualmente no tiene porqué implicar niños, pero nuestros cerebros están ya configurados desde hace mucho tiempo. No malgastes tu energía intentando adaptarlo al siglo XXI. ¡Aprende a vivir con lo que tienes!

Una chica lista establece límites a su conducta sexual y protege sus fronteras contra las voces persuasivas, incluidas la suya propia. Hay un proverbio irlandés que dice: «Cuando la manzana esté madura, caerá».

Si no estás segura de estar madura, necesitas más tiempo en el árbol. Tómate el tiempo que necesites. Cuando estés realmente preparada para caer, caerás —y entonces será un aterrizaje maravilloso.

11

El camión de la basura:
¿Estás tú detrás de sus ruedas?

En los últimos cuatro siglos han sido muchos los que han vuelto a las palabras del gran William Shakespeare para dar sentido a sus vidas, especialmente para tratar los temas de la vida y la muerte, la amistad y la traición, el amor y el rechazo, adorar a un chico y de repente encontrarlo repulsivo. Por pura casualidad, nosotras hemos descubierto recientemente un primer borrador un tanto extraño de la magnífica tragedia *Hamlet*. Desconocida para la mayoría de los que estudian a Shakespeare, en esta primera versión, Hamlet es una mujer que se hace pasar por hombre y está planeando romper el corazón de su amado. Dice así:

> *Deshacerse de él o no deshacerse de él; esta es la cuestión.*
> *¿Qué es más noble en el corazón, aguantar*
> *Sus estúpidas bromas y su espantoso gusto en el vestir,*
> *O reconocer que esto no está hecho para ti*
> *Y entonces terminar la relación? Deshacerse de él; abandonarle.*
> *Abandonarle y seguir avanzando: para siempre jamás,*
> *Ahí estará el problema;*
> *¿Qué será de las criaturas*
> *Cuando hayamos roto con ese zoquete mortal*
> *Al que ahora llamamos novio?*

Bonito soliloquio ¿no? Con razón los ingleses eligieron a Shakespeare como la persona más importante en la historia de su tierra. El viejo William conocía bien esta simple verdad: es mucho más fácil *entrar* en una relación que salir de una relación. No te das cuenta del problema hasta que empiezas a ver que los sentimientos que tenías hacia una persona han desaparecido y no queda nada. Él sigue siendo el mismo chico de siempre, aquél que hacía palpitar tu corazón, pero de repente, tu corazón ha dado un tumbo y sabes que todo ha terminado.

Bueno, de hecho no ha terminado del todo. No habrá terminado hasta que uno de los dos lo diga, y esto querida amiga, es la parte más difícil. Qué fácil sería el amor si pudiéramos simplemente transmitir nuestros sentimientos a alguien de una manera que no le causáramos ningún daño. Pero ésta no es la manera de hacerlo de los humanos. A los humanos nos gusta sufrir –sufrir por no decir lo que tenemos que decir, sufrir por decir lo que tenemos que decir, y sufrir después de saber que hemos herido a alguien cuyo único crimen ha sido querernos mucho. De acuerdo, quizás estemos siendo un poco melodramáticas. Esto es lo que dice Shakespeare. No es menos cierto que cuando la chispa del enamoramiento se extingue y lo único que queda es un montón de cenizas, uno no puede quedarse ahí inmóvil reflexionando: uno tiene que comunicar las malas noticias.

Antes de hacerlo mejor será que vuelvas a considerar a conciencia vuestra relación. ¿Está de verdad muerta, o simplemente está descansando? ¿Puede ser que simplemente hayas chocado en la carretera y que por eso desees dar media vuelta? Quizás necesitas un descanso para recuperar tu apreciación por todo lo que tienes. ¿Estás dándole vueltas inútilmente al sueño de que hay un chico perfecto a tu alrededor? ¿Estás aburrida con otros aspectos de tu vida y culpas de ello a tu relación? Estos son todos problemas comunes que surgen cuando has estado comprometida con alguien durante un tiempo. A veces, estas situaciones pasan y nos preguntamos qué estábamos pensando.

```
Hola Meg,

Simplemente quería comprobar que todo va bien. Espero que
Bryan ya te haya llamado. ¿Te acuerdas cuando nos lo encon-
tramos el sábado en el centro comercial? He estado toda la
clase de inglés pensando en ti. No te preocupes, no me he
perdido nada. Estamos estudiando Romeo y Julieta, no es tan
malo como lo pintan, pero voy a alquilar la película otra
vez para admirar a Leonardo DiCaprio. Cuéntame cómo te va.

Tara
```

Hola Tara,

No, todavía no me ha llamado. No puedo creerlo. Todavía estoy pensando en mandarle a paseo cuando lo haga, pero me niego a llamarle yo para hacerlo. Quizás debería haberme acercado a él el sábado cuando le vimos, pero no creo que pueda hacerlo cara a cara. Seguramente me pondría a llorar. Lo mejor será que siga ensayando mi sermón «piérdete» y espere hasta que tenga la oportunidad de dárselo. Tengo ganas de deshacerme de él de una vez por todas. Es como si estuviéramos en un estado indeterminado.

Meg

Has perdido esa sensación maravillosa

Es verdad que algunas relaciones acaban muriéndose. Pero antes de publicar la esquela, hay que buscar señales de vida. Sabrás si la relación está muerta si la mayoría de las siguientes afirmaciones son verdaderas:

- ❀ Solías adorar su sonrisa —pero ahora te das cuenta de que mejor sería que se cepillara bien los dientes.

- ❀ Sus besos solían transportarte a otra galaxia —ahora protestas porque comió cebolla la noche anterior.

- ❀ Solías reírle las bromas —ahora piensas que son chiquilladas.

- ❀ Pensabas qué te ibas a poner cuando tenías que encontrarte con él —ahora ya no te cambias y si lo haces es para ponerte cualquier cosa.

- ❀ Soñabas con casarte con él —ahora la idea de un futuro con ese chico te revuelve el estómago.

- ❀ Te maravillaba lo rápido que pasaba el tiempo cuando estabas con él —ahora no dejas de pensar qué estarán haciendo tus amigas.

- ❀ Pensabas que era romántico compartir un bote de palomitas con él en el cine —ahora sólo te fijas en el ruido que hace al comer.

Si has estado sintiendo esto de un tiempo a esta parte, la apuesta más segura es que tu relación está en estado terminal, si es que no está ya en el depósito de cadáveres. Vas a tener que enfrentarte al hecho de que ya no estás interesada en ese chico como novio. Tener novio tendría que ser algo divertido y excitante, no aburrido y molesto. Pregúntate a ti misma, ¿es hora de lanzar al mar ese pez? Si es así, hazlo antes de que empiece a pudrirse en tu mano.

Deshazte de él ya. No sigas aguantándole hasta que encuentres a otro chico. Si ya estás buscando sustituto, quiere decir que las cosas con ese chico no marchan bien. No importa que haya o no otro chico esperando, es una cuestión de sentimientos hacia el chico actual. Si no eres feliz con él, déjale marchar.

Otro punto de vista

Algunas veces necesitarás un poco de ayuda de tus amigas para oler la verdad. Ellas notarán tu infelicidad incluso antes que tú y por tanto te recomendarán una descarga inmediata. Además se darán cuenta rápidamente de si tu chico te trata bien o no. Pensarás que es fácil notar cuando tu novio no te está tratando respetuosamente, pero no lo es si ha conseguido socavar tu confianza.

Si tus amigas se acercan a ti con estas noticias, escúchalas. Si sólo una amiga te dice que tu novio no está siendo bueno contigo, tendrías que sospechar de sus motivos. Pero si son varias las que coinciden en un problema seguramente tengan razón. Recuerda que para ellas no es fácil decirte este tipo de cosas y además saben que al decirlas se están arriesgando a perderte. Si tú normalmente confías en las opiniones de tus amigas, ¿por qué no escucharlas? Después pregúntate a ti misma si estás mejor con él o sin él. Si no te está tratando bien, ¡mándalo a paseo! Eres demasiado inteligente para tener que aguantar a esa basura.

La salida cobarde

A nadie le gusta romper el corazón de otra persona, pero el enfoque directo es siempre la mejor solución. Hay quienes intentan forzar la situación para que sea él quien haga el trabajo sucio. Esta es una solución cobarde. La chica decide que tiene que dejar a su novio pero como no quiere darle malas noticias, empieza a quejarse continuamente. Al final él acaba sintiéndose miserable y opta por la separación.

Retirarle la amabilidad y el afecto a tu chico es mucho más cruel que ser directo y compasivo. De lo contrario acabarás sintiéndote mal por lo que has hecho. Él estará confundido y herido por tu extraño comportamiento. E incluso puede que no capte tu indirecta e interprete tu actitud como una mala época que ya pasará. Lo mejor es que te imagines a ti misma como la Dra. Terminación: estás arrancando tu relación de su vida como si estuvieras arrancando una venda de su peludo antebrazo. ¿Vas a prolongar la agonía arrancándola poco a poco, estirando los pelos de uno en uno? ¿O por el contrario, vas a hacerlo de un tirón rápido?

Mientras reflexionas sobre esta decisión, considera que hay gente que dice que los adolescentes sufren más que las adolescentes cuando una relación amorosa se termina. ¿Difícil de creer verdad? Pero los chicos, como todas sabemos, no tienen las mismas habilidades de intimidad que las chicas, lo cual les hace enamorarse más rápidamente y sufrir más en las rupturas. Seguramente no lo demuestren, pero en realidad lo sienten. Así que sé amable.

Actuar con clase

Vamos a empezar este tema introduciendo brevemente el concepto de «clase». Es una palabra que habrás escuchado un montón de veces, pero no por ello es fácil de definir. Básicamente, una persona con clase tiene gracia, dignidad, y madurez. La gente siempre se alegra al verla llegar y se entristece cuando tiene que marcharse. En realidad, no es tan difícil como parece conseguir clase, porque se trata simplemente de respetar la vieja norma: trata a las personas como te gusta que te traten a ti.

Si hay una situación que requiera clase, ésta es la ruptura de una relación amorosa. Sin embargo, ¡es tan difícil tener gracia y dignidad cuando le estás diciendo a alguien que desaparezca de tu vista! El problema está cuando el *feeling* ha desaparecido: estás aterrorizada y quieres terminar cuanto antes. La persona a quien solías amar ahora te hace sentir exageradamente incómoda; y puesto que él no ha cambiado, tú te sientes culpable. Él está ahí parado con el corazón en un puño y tú cada vez estás más enfadada y empiezas a aborrecerle simplemente porque te sientes horrible. Incluso puede que hayas creado algunas razones de tu repulsión repentina, únicamente para explicar lo que normalmente no puede ser explicado.

Es una situación realmente complicada. Cuando alguien te está pidiendo más de lo que puedes dar, es normal que te sientas enfadada, frustrada e impaciente. Y, al sentirte así seguramente te mostrarás antipática, despiadada y poco tolerante. Querrás escapar. No querrás ver su rostro triste y lleno de esperanzas. Te sentirás mal contigo misma. Tú –la chica bondadosa que se lleva a casa a los animales heridos– queriendo ahogar violentamente la vida de una relación. Es difícil creer que el amor pueda ser sustituido por aborrecimiento prácticamente de la noche a la mañana. Afortunadamente, tu buena voluntad hacia el pobre chico normalmente reaparecerá espontáneamente al cabo de un tiempo.

Tomar la autopista

Evidentemente, es una enorme prueba de clase el superar estos malos sentimientos y actuar con compasión. Trata de recordarte a ti misma que el pobre chico no es capaz de entender qué ha hecho para decepcionarte. Sus sentimientos quizás no hayan cambiado, y hace apenas unos días tú te sentías feliz con él.

Tampoco confíes en que él vaya a actuar bien en la confrontación. Tendrá problemas para mostrar sus sentimientos sobre esta dolorosa situación. A lo mejor preferirá no demostrar estar herido o continuar el ataque y decir cosas hirientes para pretender estar feliz de deshacerse de ti. Después de que la relación haya terminado, quizás te ignore en el colegio o diga cosas hirientes sobre ti a otros. Comprenderás el porqué de todo ello. No puedes evitar herir los sentimientos de un chico cuando cortas con él. Tampoco puedes controlar su manera de reaccionar a esos sentimientos de rechazo. No es bonito, pero a veces las chicas tenemos que hacer lo que se supone que tenemos que hacer.

Así pues, toma la autopista. Esto quiere decir ser lo suficientemente honesta y valiente para decirle claramente que quieres dejar de salir con él. Le harás mucho más daño si empiezas a ignorarle o a flirtear con algún otro chico. Además, si lo haces estarás tratándole irrespetuosamente. Intenta a toda costa terminar tus relaciones honesta y maduramente. Al final, tendrás el orgullo de saber que has actuado con clase.

Un final elegante

- Trata a tu novio como te gustaría que él te tratara si fuera él quien quisiera poner fin a vuestra relación.

- Haz que sea él el primero en enterarse de tu decisión de terminar la relación. No vayas contándole a todas tus amigas que vas a dejarle. Si él llegara a enterarse por otros, se sentiría como un idiota.

- Habla con él cuando estéis a solas, no en una fiesta con otras personas escuchando.

- Dale el máximo espacio posible. Si sabes que vas a seguir viéndole porque vais al mismo colegio, o trabajáis en el mismo sitio, intenta comunicarle tu decisión cuando tenga un par de días para recomponerse antes de volver a verte.

- No se lo digas por teléfono o e-mail. Hazlo cara a cara, aunque sea más difícil.

- Nunca pretendas que tus amigos hagan por ti el trabajo sucio. ¡Esto es realmente feo!

Querido John

Cuando le digas que quieres terminar la relación, hazlo de forma breve y no demasiado amarga. Podrías decir que no estás contenta con la relación, pero no enumeres sus fallos o le eches las culpas a él. No le hagas sentirse peor de lo que se siente por perderte. Hazlo de manera amable y simple. Dile que es un gran chico pero que no estás preparada para una relación seria. Dile lo mucho que te has divertido con él. No harás ningún daño si añades que te sabe muy mal tener que dejarlo.

La mayoría de los chicos prefieren dejarlo estar y evitar entrar en detalles. Hagas lo que hagas, intenta no confundirle con tus sentimientos y necesidades, y no te alargues demasiado explicándole qué es lo que ha cambiado tu mente. Probablemente es algo que tú no puedes identificar fácilmente, y acabarás cavando un socavón, saltando en él y enterrándote a ti misma. ¿Te gustaría que tu chico te enumerara todas las razones de porqué no quiere seguir saliendo contigo? Podrías pensar que sí te gustaría, pero confía en nosotras: duele enormemente.

Deja que te pongamos un ejemplo de un diálogo de ruptura:

Tú: Mira, lo siento Devon, pero tengo que decirte que me gustaría dejarlo.

Él: ¿Qué? No puedo creerlo. Parecías tan entusiasmada.

Tú: Durante un tiempo, lo estuve. Nos lo pasamos muy bien juntos. Pero últimamente he estado pensando que estaríamos mejor separados.

En realidad quieres decir: ¿Yo entusiasmada? ¿Estás bromeando? Me has llevado por el camino de la amargura.

Él: ¿Es por culpa de algo que he hecho?

Tú: Claro que no. Eres fantástico. Es todo cosa mía.

En realidad quieres decir: Es todo lo que has hecho, chico.

Él: ¿Hay algún otro chico?

Tú: No, es simplemente que necesito espacio.

Él: Debe haber algo más.

Tú: Devon, no vale la pena que entremos en detalles. Simplemente creo que necesito estar a solas.

En realidad quieres decir: Podría darte 50 ejemplos de porqué quiero deshacerme de ti. ¿Te acuerdas de aquél estúpido regalo que me hiciste por mi cumpleaños? ¿O que nunca te has molestado en acercarte a la puerta de casa y siempre te has limitado a dar un bocinazo desde la esquina para que bajara? ¿O que sólo haces por leer libros de ciencia ficción? ¿O que ni siquiera quisiste probar el tofu? ¡Abre tu mente!

Él: Me temo que todo ha terminado.

Tú: Sí, lo siento.

En realidad quieres decir: *¡Aleluya! ¡Estoy libre!*

Sé amable porque lo más probable es que te la devuelva y le agradecerás que no te haya dicho todas las cosas hirientes que podía haberte dicho.

Y, como último consejo, cuando hayas dado el paso, sé firme en tu decisión. A lo mejor al principio le echas de menos y empiezas a acordarte de lo mucho que te gustaba. Pero resiste la tentación de llamarle, aunque sea su cumpleaños. Tú quieres hacer lo mejor y en este caso lo mejor *es* no llamarle porque de lo contrario le estarás dando falsas esperanzas. Sentirás esa falta de conexión. Si estuvieras saliendo con otro chico, ¿estarías pensando en tu ex? Imposible. Así que déjale en paz. Dale la oportunidad de que se olvide de ti de una vez por todas.

12

Bajo las ruedas del camión de la basura (¡Esto sí que duele!)

Ring, ring, ring. ¡Maldito teléfono! Todas y cada una de las noches desde que sales con él te ha llamado por teléfono. Es decir, hasta hace cuatro noches, cuando de repente el teléfono dejó de sonar. Has estado durante cuatro días mirando el teléfono y... nada. Has comprobado 20 veces que no estuviera mal colgado. Has hecho llamar a tus amigas para comprobar que funcionaba. Y ahora, te enfrentas a la evidencia. Él ha dejado de llamarte deliberadamente, a no ser que un tornado se haya llevado su casa y todos los que estaban en ella.

¡Qué fuerte! De hecho la última vez que estuviste con él ya sospechaste algo. No te miraba a los ojos. No te cogía la mano. Y cuando caminabais juntos por la calle, había un espacio inusual entre vosotros dos. Bien pensado, ha estado actuando de una manera un tanto extraña desde hace un tiempo. De alguna manera tú ya lo habías notado, porque le preguntaste un par de veces si algo marchaba mal, pero él siempre te respondió: «Nada va mal. Todo está bien».

Intentaste convencerte a ti misma, «Todo va bien, me dijo». «Si algo hubiera ido mal me lo habría dicho». Pero de pronto deja de llamarte. Enseguida te convences de que no todo iba bien. De hecho, ha estado deshaciéndose de ti. Oyes el *beep, beep, beep,* del camión haciendo marcha atrás. Hay un hedor a goma quemada en el aire, y roderas en tu cara. ¡Sí! Estás tú debajo de las ruedas, más planita que una mofeta en la autopista. Muerta en la carretera.

¿Cómo es posible? Le preguntaste y te dijo que todo iba *bien*. Le diste la oportunidad de admitir que había algún problema. Debe haber un error. Quizás deberías llamarle y dejar que te explique lo que pasa. Quizás hayan tenido que operarle de urgencias. O quizás le hayan secuestrado los extraterrestres. Te convences de que nada habrá ocurrido y cogiendo aire levantas el auricular y marcas su número de teléfono. Responde en el primer *ring* (parece que los extraterrestres ya le han devuelto a la tierra):

Tú *(de buen humor):* ¡Hola!

Él: ¡Oh! ¡Hola! *(Su voz es totalmente plana. Se te encoge el estómago. Ya sabes cómo va a terminar esta conversación, pero tú siempre tan optimista lo intentas de nuevo.)*

Tú: ¿Cómo estás? *(¡Oh, cielos! Te empieza a temblar la voz. Espero que no lo note.)*

Él: Bien.

Tú: Ah, vale. Estaba empezando a preocuparme por ti; como hace días que no me llamas... *(¡indirecta!).*

SILENCIO

¡Ah! ¿Estás ahí todavía? *(Esto quiere decir que no está bien.)*

Él: He estado muy ocupado. *(¿Ocupado? ¿Ocupado en qué? ¿Ocupado con quién? Conozco todo tu horario, nunca has estado* **ocupado**.*)*

Tú: ¿Ah sí? Bueno, ¿qué has estado haciendo? *(Perfecto. No le acuses de nada. Quizás sea verdad que ha estado ocupado.)*

Él: Cosas. *(O no.)*

Tú: De acuerdo, entonces... *(dominando tus nervios)* ¿queda en pie la salida al cine del sábado? *(Por favor, por favor, por favor...)*

Él: Bueno, de hecho, creo que saldré con mis amigos. *(¡Oh, Dios! Todo ha terminado.)*

Tú: ¡Ah! *(No hables demasiado y no se dará cuenta de que has empezado a llorar.)*

Él: ¡Sí! *(¡Cretino! Controla tu voz y cuelga rápidamente el teléfono. Mantén la dignidad.)*

Tú: Bien, parece que estás ocupado, así que mejor será que cuelgue... (*Una pausa —todavía esperas que diga, «¡No, espera. No cuelgues. Hablemos!»*)

Él: Vale, adiós. **(Cobarde)**

Tú: Adiós. Oye... (*Clic —no te ha oído porque ya había colgado.*)

Cuelgas el teléfono y te echas a llorar. Esto sí que duele. Hay un dolor físico en tu pecho y apenas puedes respirar. ¿Es posible que vayas a tener un ataque de corazón a tu edad? ¿Cómo puede haber ocurrido? Te gustaba *con locura* ese chico y creías que las cosas marchaban correctamente. ¿Qué hiciste mal? Quizás deberías haber intentado ayudarle a hacer los deberes de ciencias. Quizás no deberías haberte reído de su nuevo corte de pelo. (No se rió cuando le preguntaste si el peluquero había utilizado un cortacéspedes.) Quizás no eres suficientemente lista, guapa, alta, o divertida. Si pudieras ser mejor. A lo mejor ha conocido a alguien. Te echas en la cama y empiezas a llorar a moco tendido.

Te has saltado la salida

Cuando conduces por una autopista es posible que no te fijes en las señales que indican tu salida. Después, te das cuenta con sorpresa que el camino estaba muy bien indicado, y que lo que ocurrió es que no te fijaste bien porque estabas demasiado entusiasmada con la velocidad que llevabas. Lo mismo ocurre con las relaciones. Si empiezas a notar alguna de estas señales de alarma, quiere decir que la ruptura está bastante próxima:

- ❀ Espera a llamarte al último momento para pedirte para salir y no parece demasiado decepcionado cuando le contestas que ya has quedado.

- ❀ No se muestra demasiado afectivo.

- ❀ No se preocupa tanto por ti. Aunque sabe que estás pasando una mala época en el colegio, no te pregunta cómo te va.

- ❀ Sólo llama cuando sabe que no estás en casa.

- ❀ Evita mirarte a los ojos.

- No bromea tanto contigo (¡y tu pensabas que era porque ya había madurado!).

- No está interesado en planificar para el futuro.

- Empieza a hablar de que necesita más espacio (y no está pensando precisamente en estudiar para ser astronauta).

Dale un duro golpe

La ventaja de darse cuenta a tiempo de estas señales es que podrás hacer una «ruptura anticipada». Esto quiere decir que no tendrás que esperar a que sea él quien la haga. En lugar de eso, tú con toda la gracia y dignidad a tu disposición, le darás el pasaporte real y se lo comunicarás a todas tus amistades. Lo único que necesitas es saber reconocer con anticipación estas señales. Notarás que se te parte el corazón pero, sin la humillación pública verás como se recompone mucho antes. Las buenas noticias son que los chicos son muy lentos para actuar y por tanto tú casi siempre podrás salvar tu orgullo con la «ruptura anticipada».

Evidentemente esto es más una auto-ruptura que otra cosa, pero te permitirá salvar las apariencias. Aunque intentes obligarle a que diga la verdad, muchas veces tendrás que perseguirle y «hacerlo oficial», o bien diciéndole que todo ha terminado o bien forzándole a que lo haga él. En cualquier caso, no te reprimas y cuéntalo diciendo «hemos decidido dejarlo».

¡Madura un poco!

Como ya hemos dicho en otras ocasiones, la mayoría de los jóvenes no se sienten cómodos con la intimidad y la emoción que viene en el paquete de una relación formal. Mientras que a las chicas generalmente nos gusta la idea de estar comprometidas con un chico, ellos preferirían dejarse quemar que comprometerse con una chica. Esto no quiere decir que no les guste andar detrás de una sola chica. Muchos de ellos lo hacen. Es sólo que en cuanto esas ruedas oxidadas empiezan a rodar y empiezan a pensar en lo que tener novia implica, se atormentan. Recuerda que ellos fueron puestos en la tierra para competir. Si ya han «ganado» tu corazón, ¿qué sentido tiene continuar el juego? Alguna lógica perversa les dice que también han perdido la libertad para competir en otros lugares y esparcir sus semillas (por lo menos en teoría).

Cuando el miedo empiece a apoderarse de él, cambiará la manera de pensar acerca del hecho de salir contigo. En lugar de relajarse y pasar un buen rato, volverá a pensar en todo lo que implica, se imaginará aprisionado, y buscará la salida más cercana. Le inundará la sensación de que necesita «espacio». Verás como su respiración es cada vez más profunda y acelerada conforme aumenta su claustrofobia. Sólo hay una palabra rondándole por la cabeza: «aprisionado, aprisionado, aprisionado». Está a punto de estallar, querida.

El sonido del silencio

La ruptura de una relación bien puede ilustrar cómo el hueco entre géneros puede ser tan extenso como el Atlántico. Cuando los chicos se comunican con otros chicos, hablan mucho con sus silencios. Un tipo de taquigrafía extraña se desarrolla entre ellos. Como prefieren no contar las cosas con palabras, los chicos desarrollan una magnífica habilidad para *referirse* a algo sin mencionarlo. Piensa en esas extrañas señales que los jugadores de baseball hacen con las manos en los partidos. Es como un lenguaje de signos primitivo.

A las chicas por otro lado, nos gusta utilizar todas las palabras que tenemos y combinarlas para hacer frases y diálogos interesantes. No hace falta decir que el sexo débil es mucho más civilizado. Solemos ser más sinceras y directas sobre lo que pensamos. Somos capaces de decir que no estamos felices de muchas maneras diferentes, para que así nuestros novios no tengan que leer nuestros silencios. Muchas de nosotras valoramos tanto la claridad que estamos dispuestas a aguantar la incomodidad que en algunos casos supone decir las cosas claras. No confíes en que un chico va a tener la misma cortesía.

Hola Tara,

Siento no haberte escrito antes, pero he estado totalmente
enfrascada en el tema de Bryan. Me está volviendo loca.
Siempre pensé que al final cedería y me llamaría para
disculparse -en ese momento yo me montaría en mi caballo y
le daría un puntapié. Pero, ha pasado ya una semana y no
me ha llamado. He empezado a pensar que lo que quiere es
deshacerse de mi -cuando obviamente la única con derecho a
hacerlo soy yo. Sólo él es capaz de darle la vuelta a las
cosas así. Te mantendré informada si recibo noticias suyas,
pero estoy empezando a dudarlo.

Meg

La reducción progresiva

Generalizando por un momento, podemos decir que los chicos odian utilizar el método directo para romper con las chicas. No les gusta hablar sobre asuntos emocionales y romper una relación es ciertamente algo emocional. Les asusta que al decirle a una chica, «No quiero salir más contigo», ésta (1) se desmaye, (2) haga un espectáculo o (3) llore. El miedo a enfrentarse a ello es mayor que su frustración por tener que prolongar inútilmente la relación. Por eso te dirán que todo va bien para evitar la inevitable discusión de qué es lo que ha fallado.

Por esta razón, muchas chicas son abandonadas por sus novios sin conocer siquiera el motivo de su abandono. No dieron aviso de su partida. Simplemente fueron escabulléndose poco a poco sin que ellas ni siquiera lo notaran. Un día de repente te despiertas y te sorprendes, «¿A dónde ha ido Eric?». Todo lo que queda de él son esas cosas que ha dejado para que no te dieras cuenta de su huída. Esto es una «reducción progresiva». Has sido informalmente apartada. Cuando te das cuenta de ello, ya es tarde para sacar el tema, porque la noticia ¡ya es antigua!

Evidentemente cuando una chica empieza a darse cuenta de que hay una reducción progresiva no quiere reconocerla como tal. No aceptará esa sonrisa huidiza como veredicto, y en lugar de eso preferirá sufrir la humillación de perseguir a su chico y obligarle a dejarla. Hasta que no oigas esas palabras de su boca, habrá esperanzas, ¿verdad?

Estarás pensando, «En realidad no me ha *dicho* que no quiere verme más, así que a lo mejor estoy imaginándome cosas». Las chicas dominamos el arte de inventar excusas para nuestros chicos.

Un chico puede vivir razonablemente cómodo en el limbo mientras reduce progresivamente a su novia. A no ser que esté desesperadamente persiguiendo a otra, puede esperar meses y meses antes de retirarle de escena sin que ella se dé cuenta. Si es paciente y sutil, puede ocurrir. Pero los chicos suelen ser poco astutos y nosotras enseguida nos damos cuenta de lo que están tramando. Es como si su cuerpo todavía estuviera ahí, pero su alma ya se hubiera ido. En cuanto una chica sospecha algo, no puede dejar de pensar en ello; quiere una resolución rápida.

Si te encuentras en una situación como ésta, te sorprenderá tanto el hecho de que siempre esté ignorándote y evitándote que acabarás interrogándole. Llegado este punto, tendrás que ser clara: si aprisionas a un chico se asustará y actuará más como un rata acorralada. Y no hay nada más malo que una rata acorralada. Empezará a darte golpes y a decir cosas hirientes porque se siente *apartado* de su zona de seguridad emocional. En realidad no pretende herirte. Sólo quiere salir de ahí cuanto antes y para ello es capaz de roer la salida si hace falta.

Elegancia bajo presión

Así pues, ¿cómo responderás cuando oigas el *beep-beep-beep* del camión de la basura haciendo marcha atrás? Es más fácil de lo que crees. Habla lo mínimo posible. Estarás sorprendida y seguramente herida. Esto quiere decir que podrías llegar a decir cosas horribles las cuales llegarían a obsesionarte. Confía en nosotras, ya tenemos experiencia. Mantén la boquita cerrada y ya verás como al cabo de un tiempo te confortará la idea de haber sabido mantener la calma.

Hagas lo que hagas, no te entretengas con discusiones sobre qué es lo que ha ocurrido. Si está excitado, su mecanismo de filtración se detendrá y dirá cosas que no te gustará escuchar. ¿Recuerdas las cosas despiadadas que hemos dicho que pensabas cuando te desconectabas de tu tipo ideal? Bien, puede que él tenga pensamientos similares rondando en su mente. Ya no te ve como la chica encantadora que veía hace un tiempo. Desgraciadamente ahora te ve como un montón de basura y quiere lanzarte al cubo de basura cuanto antes. Justificará su decisión de hacerlo si tú le incitas a ello. Aquí tienes algunas justificaciones posibles:

- ✿ «No estoy preparado para un compromiso por ahora, y tengo la sensación de que me estás forzando a ello.»

- ✿ «Tengo muy poco tiempo disponible en estos momentos y creo que no es justo no poder dedicarte más tiempo.»

- ✿ «Quiero conocer a otras chicas.»

- ✿ «Creo que te lo estás tomando demasiado en serio. Se suponía que sólo era por diversión.»

- ✿ «Quiero tener relaciones sexuales y tú no estás preparada para ello. Alguna otra lo estará.»

No hay ninguna respuesta acertada para estas afirmaciones, así que será mejor que no lo intentes. ¿Qué sentido tiene discutir con alguien que ha tomado la decisión de no involucrarse en una relación amorosa contigo? Si lo haces acabarás sintiéndote triste y deprimida.

Es bastante tentador prolongar la discusión, por muy dolorosa que sea, simplemente para tener a ese chico delante de ti y «hablar más en detalle». Te preocupa que en cuanto se marche esta vez ya no le vuelvas a ver el pelo. Pero el camino hacia la dignidad es corto. Vete de ahí antes de que empieces a llorar delante de él, porque esto es algo de lo que *de verdad* te arrepentirás. Todas nosotras sabemos que llorar no es gran cosa –¡incluso lloramos con los anuncios de la televisión!– pero para los chicos, sí que lo es.

No te rebajes a decir cosas malévolas. Estarás dando una imagen de persona resentida y él se convencerá de haber tomado la decisión adecuada. Tampoco dejes ir tus inseguridades. Tu objetivo es demostrar tanta clase que él se sienta más inferior que la criatura más inferior de todo el planeta. Y la estarás demostrando si superas cualquier ataque. Si él te ataca, lánzale una mirada de sorpresa y aversión. A continuación muestra tu clase explicándole que a pesar de haber herido tus sentimientos, aprecias que por fin haya sido honesto contigo. Termina diciéndole que has pasado buenos momentos con él y que estás de acuerdo en que había llegado el momento de romper. Después vete. Mantén la cabeza bien alta, y camina rápido antes de cometer el error de soltarle lo que realmente estás pensando.

Dejar la escena

Guárdatelo para ti, querida. Aléjate de él con gracia para que se arrepienta de su decisión. Mantén bien alta la cabeza, los hombros hacia atrás. Recuerda que está mirándote y que todavía le gusta tu trasero. Después, cuando llegues a casa, llama a tus amigas una a una y diles lo que ha ocurrido. Agoniza si debes (y puesto que eres una chica debes hacerlo).

Tus amigas te ayudarán a recuperar tu perspectiva y al final te darás cuenta de que si realmente no te quería ver más, nada podías decir o hacer para cambiar su decisión. Eres lo suficientemente lista, guapa, divertida y alta, de lo contrario no te hubiera encontrado atractiva.

Obsesión

A veces es difícil recuperar la perspectiva cuando todo lo que queda de tu fabulosa relación es una marca con tiza en el andén. Si después de varias semanas o meses todavía te estás lamentando de esa ruptura mejor será que empieces a pensar que estás obsesionada.

¿Qué podría convertirte a ti, una persona sensata y consciente de tu dignidad personal, en una persona totalmente idiotizada por un chico que te ha roto el corazón? El mero hecho de enterarte que ese chico no quiere nada más contigo tendría que hacerte salir disparada. Pero por una extraña razón, te ocurre exactamente lo contrario. Cuanto más se intenta alejar de ti más te tira hacia él. No importa si en tu relación has estado en la antesala del aburrimiento. En el momento en que él se aleja, tú te pegas a él como una hormiga a un bollo empalagoso. ¿Qué está pasando?

Tara,

Ha pasado más de una semana y todavía no he tenido noticias de Bryan. En el colegio también hemos estado intentando evitarnos. Lo verdaderamente asombroso es que ahora que no quiero nada más con él, creo que a él le gustaba perseguirme. Ahora que ya no lo hace, he decidido que quiero que vuelva conmigo. Casi siempre ha sido cariñoso conmigo. Quizás exageré todo el tema del regalo del condón. A lo mejor sólo quería gastarme una broma y yo no la capté. O quizás debería haber sido más comprensiva con sus necesidades físicas. Creo que debería llamarle y hablar de ello.

¿Tú qué crees?

Meg

Estás loca de amor si...

- Llamas a su casa sólo para escuchar su voz diciendo «hola» y cuelgas.
- Tus amigas ven que se te velan los ojos cada vez que mencionas su nombre.
- Tienes un callo en el dedo de tanto escribir sobre él en tu agenda.
- No dejas que tu familia borre el último mensaje que él dejo en tu contestador. Lo escuchas 10 veces al día.
- Tu mesita de noche se ha convertido en un lugar sagrado. En ella guardas todos los resguardos de las entradas, los e-mails que te ha enviado, y su foto con toda la clase.
- Le envías una postal con un «seamos amigos» para hacerle saber que todo ha pasado, esperando desesperadamente que llame.
- Dedicas toda una tarde a deshilar su viejo jersey. Guardas cada uno de los hilos.

En el tema del amor a todos nos gustan los retos. ¿A qué chica no le gusta más aquél chico que no se lo pone fácil que aquel otro que la llama cada noche? Y, cuando el chico con el que sales tiene el valor de abandonarte, está golpeando duramente tu ego. ¿Cómo se *atreve* a perder el interés por ti? Lo que tu quieres es volver a ganar su afecto, simplemente para demostrarle que puedes hacerlo.

Evidentemente, los chicos también juegan su parte en todo esto. Si ha estado eliminándote poco a poco en lugar de cortar por lo sano, tú te empeñarás más en aferrarte a él. Mientras intentas acorralarle para terminar definitivamente vuestra relación, la obsesión empieza a echar raíces y entonces ya no serás capaz de encontrar el interruptor de «desconectar» y convertir tus emociones en una amistad platónica. Algunos chicos se acercarán a ti, te darán la justa atención para que mantengas tu interés por ellos, pero a la vez te ignorarán en cierta manera para que te obsesiones. Tú emplearás tu tiempo constructivamente fortaleciéndole de una manera tal que ningún mortal sería capaz de conseguir (¡ni siquiera él!). Él estará encantado. ¿Y qué chico no presumiría de tener una chica encantadora como tú suspirando por él?

Pero, ¿cómo puede respetar a una chica que está desesperada por cada momento de su tiempo? Él sabe que no es tan maravilloso y por eso se pregunta porqué tú crees que lo es. Imagínate que estás saliendo con un chico y de repente pierdes tu interés. ¿Qué pasaría si él no aceptara su destino y desapareciera? ¿Qué pensarías de él? Éstas son peculiaridades tristes de la naturaleza humana, y seguramente te resentirás de que no se haya dado por aludido y se haya marchado. Obviamente él está anhelando un *ideal* romántico contigo y cuanto más actúa de esta manera más alterada te ves por su comportamiento. Recuerda esta sensación cuando empieces a notar que te obsesionas. No podrás obligar a tu ex a cambiar sus sentimientos simplemente demostrándole que no estás por él. De hecho, si lo haces, lo más probable es que ocurra justo lo contrario. Cuanto más obsesionada estés, más contento estará él de haber escapado de ti. Ahórrate la degradación. Deja tu obsesión hoy e intenta recuperarte. Y, mientras lo intentas, hazle caer de ese pedestal. No dejes pasar tu siguiente oportunidad de amor por culpa de fantasear sobre algo que ya terminó. Es mejor que haya muerto, así que llévalo al cementerio de los amores perdidos y entiérralo.

Meg,

No lo hagas, no lo hagas, no lo hagas. No llames a Bryan porque él no te haya llamado. No cometas el error de esperar que vuelva ahora simplemente porque parece que te ha abandonado. ¿A quién le importa de quién ha sido la culpa? Ninguno lo sabrá a ciencia cierta. Seguro que está fanfarroneando con sus amigos diciéndoles que le tiraste los condones a la cara. No importa, déjalo estar. Además Ian tiene un montón de amigos encantadores -salir con dos a la vez podría ser estupendo. Llámame cuando te sientas tentada de coger el teléfono para llamar a Bryan.

Tara

13

Sigue avanzando:
No hay nada que ver aquí

Cuando estás totalmente obsesionada por un chico, no dedicas ni un momento a pensar en todas aquellas veces que tu novio actuó como un auténtico cretino –particularmente cuando vuestra relación empezó a decaer. ¿Recuerdas todas esas noches que estuviste esperando a que te llamara y no lo hizo? ¿Recuerdas cuando olvidó tu cumpleaños, canceló citas, y dejó de piropearte?

No, por supuesto que no lo recuerdas. Has conseguido bloquear todos estos pensamientos para concentrarte nada más en los momentos buenos. Recuerdas con una claridad sorprendente la primera vez que te cogió la mano, que te presentó como su novia, y te dijo que eras preciosa. Es asombroso ver cómo te acuerdas de todas las cosas bonitas que te dijo y sin embargo, has olvidado todas esas veces que lo pasaste mal por culpa de él.

Hay un nombre para este tipo de pensamiento. Se denomina «el síndrome de la falsa memoria» y ocurre cuando imaginas tu pasado de manera bastante diferente a cómo fue en realidad. Si has estado obsesionada durante un tiempo, probablemente hayas transformado tu relación con ese ex novio tuyo en una tragedia romántica maravillosa. Estás pensando que Romeo y Julieta se separaron por culpa del destino, víctimas de la edad cruel que estamos viviendo. Sí, parece que él se lo ha tomado bien. Te han contado que la semana pasada tuvieron que echarle de la clase por reír –pero por dentro está llorando.

Has olvidado convenientemente que tú estuviste a punto de romper con él más de una docena de veces. Sus modales en la mesa, por ejemplo, casi te hacían llorar. ¿Recuerdas cuando se metió toda la ala del pollo en la boca para sacarla después completamente limpia? ¿O cómo te hacía avergonzar en la clase dando expresamente una respuesta incorrecta? Pensaba que era divertido, pero en realidad parecía un estúpido –y por eso la gente pensaba que lo mejor que podías conseguir era un bobo. Pero, no, estos pensamientos se han evaporado y tu mente está ahora repleta de imágenes de un amor imperecedero.

De vuelta a la vida, de vuelta a la realidad

¡Despierta! Has estado inmersa en una fantasía gloriosa que podría estallar como una burbuja si abrieras los ojos y echaras un vistazo a tu alrededor. Ya, necesitas llorar la pérdida de tu relación. Adelante, hazlo y date el gusto de compadecerte un poco de ti misma. Escribe sobre todos los momentos angustiosos en tu diario, escucha canciones de amor, haz todo aquello que solíais hacer juntos, analiza y requeteanaliza lo ocurrido con tus amigas. Hazlo ya. Es algo así como divertido abandonarse uno mismo al papel de Reina Drama. Pero es importante también que te pongas un plazo. No dejes que tus lamentos se prolonguen semanas y meses.

La depresión post-ruptura es muy seductora. Pasar el rato en el Hotel de la Angustia es ciertamente una solución inútil. Te ayudará a escapar del trabajo duro de la recuperación. Tus amigos e incluso tu familia se compadecerán de ti –por lo menos durante un tiempo– y tú no dejarás de lamentarte. Con un poco de suerte acabarás harta de vivir en la oscuridad y saldrás a disfrutar de la luz del sol.

Por tu bien, mejor será que lo hagas cuanto antes. La vida es demasiado corta para estar viviendo en la sombra de un amor perdido. Pero nadie tiene una varita mágica con la que tocarte para hacerte sentir mejor. Lo que necesitas es estar fuertemente decidida a hacerlo por ti misma. Así pues, toma la decisión y después:

❋ Llama a tus amigas y cuéntales que estás lista para enterrar a ese chico y todos los malos sentimientos que hizo surgir en tu vida. Reserva un día para el «intento de recuperación» que hemos descrito anteriormente. Tendrás que reunir todas las fotos de él para una buena partida de dardos.

❋ A continuación, borra todos los mensajes que has estado guardando. Una de nosotras guardó un mensaje durante meses tras la ruptura, y fue borrándolo poco a poco hasta que estuvo lista para «la limpieza».

❋ Coge todos los recuerdos sentimentales y quémalos. Hazlo poco a poco. Es mejor hacerlo en compañía de una amiga.

❋ Por último, haz una lista de todas las cosas horribles que te hizo. Haz una segunda lista que incluya los hábitos que más te fastidiaban. Escribe algunas de las cosas que te molestaban de él (por ejemplo, pronunciar mal determinadas palabras, pretender saber más de lo que sabía sobre algún tema). Si tu memoria necesita ayuda llama a tus amigas. Seguro que ellas pueden ayudarte.

Ahora, siempre que estés tentada de llamarle, o te encuentres planeando un encuentro fortuito, saca las listas y léelas. Después saca alguna foto horrorosa de él y pregúntate a ti misma: «¿Es esto lo que me da pena perder?».

El acto de la desaparición

La mejor apuesta para conseguir que una obsesión desparezca es evitando al chico en cuestión. Es cierto, que para desaparecer tendrás que esforzarte. Durante un tiempo intenta evitar ir a las fiestas que él vaya y las rutas que él hace. Este aspecto de tu recuperación es vital.

Y mientras estés intentando evitarle, mantente ocupada. El objetivo es eliminar la imagen de su cara de tu cerebro. Acepta cualquier invitación a salir que te hagan tus amigas. Apúntate a una clase de arte. Inscríbete como voluntaria en alguna actividad. Haz cualquier cosa que te distraiga y evite que te obsesiones por él. Puede que la próxima vez que te lo encuentres, se te caiga el alma a los pies, pero ese encuentro ya no desencadenará el mismo ciclo intenso de desesperación. Después de todo, no hay tiempo que perder. Esta noche tienes clase de escultura y viene un maravilloso modelo para posar desnudo. ¡Qué distracción tan excelente!

¿Amigos para siempre?

Un sabio consejo: No pierdas el tiempo intentando ser «amigos» con tu ex. Sí, hay algunos ejemplos de parejas que se separaron y siguieron siendo unos amigos maravillosos, pero normalmente el esfuerzo no vale la pena. El fantasma de la atracción física continuará presente. Cualquier relación romántica está basada en el deseo. Cuando la relación se termina, esta atracción queda ahí impidiéndote crear una relación únicamente de amistad. ¿Estarías añorándole si realmente no te gustara? ¿Verdad que no? Cuando hay una corriente de atracción entre un hombre y una mujer, normalmente se acaba rompiendo la armonía.

Además, es muy posible que la persona que ha sido abandonada continúe esperando una reconciliación si el contacto se mantiene. Ver a alguien a quien deseas saliendo con otras personas ocupa una de los primeros lugares en la escala de torturas, incluso aunque digáis que «solo sois amigos». ¿Por qué tienes que aguantar esto? Tienes suficientes amigos y por tanto no necesitas seguir obsesionada por tu ex. Cuando haya pasado un poco más de tiempo, podrás a lo mejor pasar algún tiempo con él platónicamente, pero antes asegúrate de que la cosa no va a ir a más. Espera hasta que salgas con algún otro chico antes de intentar volver a verle.

```
Tara,

He estado pensando sobre ello y creo que tienes razón.
Creo que no puedo soportar la idea de que otra persona
salga con él. Me he dado cuenta de que llamarle para ha-
cerle volver simplemente retrasaría lo inevitable —volve-
ríamos a dejarlo. Me hubiera gustado que las cosas hubieran
terminado mejor. No voy a malgastar más e-mails llorando
por culpa de ese tío. A partir de ahora, voy a actuar como
si pasara de él y así quizás me convenza a mí misma de que
es así.

Meg

P.D. ¿Qué tal están los amigos «solteros» de Ian? Todavía
no estoy en condiciones de salir con nadie pero ¡no me
importaría conocerles!
```

La mejor manera de sentirte mejor con tu situación y vengarte de él es olvidándole –o por lo menos intentar *aparentar* que le has olvidado. Verás como si finges algo con energía y convicción podrás hacer que ocurra. Si finges que te estás divirtiendo cuando empiezas a salir con tus amigos, pronto *estarás* divirtiéndote de verdad. No te quedes estancada, continúa viviendo la vida y él acabará preguntándose si alguna vez significó algo para ti. Esto es en definitiva lo que tú pretendes. No hay nada que moleste más a un chico que perder su fan número uno. Déjale que respire el polvo que tú levantas al galopar en tu carrera feliz.

¿Volver a intentarlo?

¿Volverá algún día? Sí, a veces vuelven, pero suelen hacerlo *después* de que hayas cambiado emocionalmente. Muchos chicos se dan cuenta de lo importante que es el amor cuando ven que tú estás viviendo una vida fabulosa y él no está participando en ella. Cuando te conviertes de nuevo en la Sra. Independencia y no piensas para nada en él entonces es cuando él piensa, «Caramba, está preciosa. Me pregunto si conseguiré hacerla volver conmigo».

Para cuando él te redescubra, tú ya habrás cambiado enormemente y no querrás ni oír hablar de «volver hacia atrás» –que es lo que supondría el volver a salir con él. ¿Por qué poner la marcha atrás en el coche cuando puedes continuar yendo hacia delante? Además, las consecuencias dramáticas que te produjo la primera ruptura, ya han desaparecido prácticamente. Con un chico diferente, por lo menos tendrás otro tipo de problemas, ¿no?

Si no vuelve, confía en nosotras cuando te decimos que tus sentimientos hacia él *desaparecerán* con el tiempo. Sabemos que es difícil aceptarlo –o incluso creerlo- cuando se acaba de producir la ruptura, pero es verdad. Por muy abandonada que te sientas en ese momento, un día no muy lejano de repente te despertarás sintiéndote mucho mejor. Una o dos semanas más tarde, te darás cuenta de que has estado 24 horas seguidas sin pensar en él ni una sola vez. Ese día se convertirá en una semana y luego en un mes, y antes de que te des cuenta, esa situación no será más que un recuerdo escrito en tu «libreta de recuperación».

Y por supuesto, pronto empezarás a salir con gente nueva. Tú que pensabas que nunca más nadie te querría... Al principio te sentirás un poco culpable, como si estuvieras traicionando la memoria de tu amor perdido. No dudes ni un momento –¡ahí está el barranco y en él caerás! No es más que una parte lógica del ciclo del amor.

Tercera parte

La culpa siempre es de los padres

14

No puedes vivir con ellos...

Los padres. Seguramente ya estabas pensando que nos íbamos a olvidar de este tema. Pues no, no podíamos olvidarnos de decir unas cuantas palabras referentes a esas personas que te han traído al mundo y que están haciendo todo lo que pueden por escoltarte hacia la adolescencia, a pesar de todos tus esfuerzos porque te dejen en paz. Así que, mientras tú estás esperando a que llegue ese chico maravilloso, matemos el tiempo examinando tu vida en el hogar. Empecemos tomando el pulso a tu familia para asegurarnos de que todos estén vivos. Por favor, dedica unos minutos de tu tiempo a contestar estas preguntas:

Empecemos por tus padres:

❊ ¿Caminan de un lado a otro con rostros aturdidos y miradas afligidas?

❊ ¿Se enfurecen rápidamente si cierras la puerta de tu habitación de un portazo?

❊ ¿No están de acuerdo en tener que llamar a la puerta de tu habitación antes de entrar en ella?

❊ ¿Te quitan el mando de la televisión sólo con que cambies de canal 20 veces?

❊ ¿Te observan cuando creen que no estás mirando?

❊ ¿Escuchan tus conversaciones telefónicas o intentan mirar de reojo los mensajes de tu móvil con otros amigos?

Hablemos ahora de ti:

❋ ¿Te pasas la mayor parte del tiempo metida en tu habitación intentando averiguar la manera de abandonar la casa?

❋ ¿Hablas sólo de cosas referentes al estilo de tus padres, a la programación de televisión, al sistema escolar, al comportamiento de tu hermano, al tiempo...?

❋ ¿Anuncias por lo menos una vez por semana que tus padres han arruinado tu vida?

❋ ¿Sacas a propósito información de tus padres simplemente para importunarles?

❋ ¿Les das información con el único propósito de molestarles?

❋ ¿Rechazas comer las comidas que ellos preparan, y después haces visitas cada hora a la nevera quejándote de que (1) estás hambrienta, (2) te horrorizan las cosas que compran?.

Si la respuesta a cinco o más de estas cuestiones es sí, la verdad es evidente. Eres una joven normal y tus padres están sufriendo cada vez más (por tu culpa). Nuestro diagnóstico: problemas en el paraíso.

Entonces, ¿dónde está el problema? La pubertad es una etapa. Nadie consigue saltarse la segunda década de su vida simplemente porque no esté a gusto con lo que ella implica. Si estás lista para meterte en el negocio de dirigir tu propia vida, ¿no deberían tus padres apartarse y dejarte hacerlo? Bueno, quizás ellos sigan creyendo que es su vida. Después de todo, nadie les avisa de que cuando un hijo llega a la pubertad es hora de aflojar las riendas. Y por eso continúan viéndote como una *niña mayor* en lugar de como una *adulta sin experiencia* que es lo que en realidad eres. Con razón hay tensión entre los adultos y los jóvenes que viven en un mismo espacio.

Nos gustaría compartir una tradicional Receta para el Desastre de una familia:

Elige a una adolescente que crea estar lista para enfrentarse al mundo y combínala con uno o dos padres (hasta tres o cuatro) que no estén dispuestos a ceder el control. Añade unos puñaditos de estrés y mézclalo todo vigorosamente. Vierte la mezcla en una sartén flameada, añádele mal humor, y enciende el fuego (recuerda ponerte protección en los ojos). Corre a taparlo. Desde un lugar seguro, observa cómo se quema tu casa. Cuando se aclare la atmósfera, inicia el proceso.

Aquí tienes algunos antecedentes del problema. Cuando una chica llega a la pubertad, generalmente hacia los 13 años, las hormonas hacen desencadenar un montón de cambios interesantes en su mente y en su cuerpo. Seguramente los cambios de la mente serán menos obvios, pero no por ello menos poderosos. Por alguna razón, el «interruptor de la independencia» se enciende y el cerebro empieza a dar órdenes inusuales para los padres. De pronto descubres que estás atrapada entre maníacos. «No camines, corre hacia la salida más cercana» te indica tu cerebro. De hecho, algunos días sólo deseas gritar: «Salid de mi camino».

Sin embargo tus padres siguen ahí en tu camino –de hecho, brincando en tu camino- y aparentemente no les preocupa ser aplastados. Pero hay una cosa que queremos que sepas: *Tienen miedo.* Tienen *mucho miedo.* Si te fijas bien verás contracciones nerviosas en sus párpados. Verás que están ojerosos, como si no durmieran bien, y tienen esa mirada amarga y estreñida. ¡Y esto en un buen día!

Mala prensa

Es difícil creer que puedan estar tan afectados simplemente porque se hayan dado cuenta de que eres una adolescente y de que la vida como ellos la han conocido nunca va a ser igual. Te sorprenderá ver lo mucho que tardan en adaptarse. De hecho, a lo mejor continúan considerándote su preciosa y adorable *niñita* aunque los hechos demuestren lo contrario (incluyendo el hecho de que tú eres más alta que ellos).

¿Por qué ese miedo a que te hagas adulta? Es porque han escuchado cosas terribles sobre los jóvenes. Indudablemente tú también habrás escuchado algunas: eres agresiva y desagradable, o quizás impulsiva e impredecible. En resumen, han escuchado que eres *peligrosa*. Imagínate cómo te sentirías si fuentes fidedignas te dijeran que el diablo ha entrado en tu casa.

Veamos cuáles son esas fuentes llamadas fidedignas. En primer lugar, los amigos y compañeros de trabajo de tus padres les engañan con historias exageradas sobre sus propios hijos. ¿Y qué me dices de esos documentales televisivos sobre la violencia juvenil, los embarazos de las jóvenes, la depresión, el abuso de las drogas, por nombrar algunos? Y, no olvidemos las filas y filas de libros sobre cómo sobrevivir la adolescencia que hay en la estantería. ¡Por no hablar de lo que llegan a encontrar en Internet!

Quizás el peor culpable sea la televisión. ¿Por qué se empeñan en emitir los programas para jóvenes a horas en que los padres pueden verlos? Estos programas deberían televisarse en horas en que los padres están todavía en el trabajo porque la programación debería ser supervisada cuidadosamente.

De todas formas, hay gran cantidad de mala información sobre los jóvenes. Es injusto pero cierto. La mala prensa que han recibido los jóvenes durante décadas ha ocasionado que los padres se hayan asustado.

Una visita al zoo

Ahora tienes una palabra para esa expresión tan extraña que has estado viendo en el rostro de tus padres: pánico. Algunos utilizan la palabra *denegación*. Por si nunca te has encontrado con ella, te diremos que es lo que ocurre cuando alguien observa la cara de un oso pardo y dice que es un conejo simplemente porque no puede creer que se trate de un oso pardo. No quiere decir que los jóvenes sean osos pardos —es simplemente una analogía. Puede que gruñas como un oso, hibernes como un oso, incluso huelas como un oso (todo ello tiene remedio), pero tus padres *seguirán* viendo a un conejo. Sobre este tema estarán tan profundamente confundidos que podrías devorar sus piernas y ellos seguirían ofreciéndote una zanahoria.

No hay ningún secreto tras su confusión. Simplemente estás seriamente desconcertados por el hecho de que estés pasando la adolescencia para llegar a un mundo aterrador bastante conocido por ellos –aunque no del todo. Creen que la vida se ha complicado demasiado y demasiado deprisa. Hace escasamente uno o dos años eras su niñita que hacía todo (o casi todo) lo que ellos decían. Ahora opinas sobre todo, y empiezas a vislumbrar el momento (no demasiado lejano) en que podrás tomar sus propias decisiones. Tus padres van a tener que tenerte ahí y mantenerte. Consideran que es su responsabilidad.

Ahora comprendes su desconcierto. Probablemente tengas momentos en los que sientas pánico, pero como adolescente que eres tienes el lujo de abandonarte en el pánico y la confusión. Para esto está la adolescencia y los padres son conscientes de ello. Los padres, por otro lado, están ahí ofreciéndote ante todo estructura y apoyo para que no te desvíes demasiado y haciendo un daño permanente. Ellos no pueden permitirse el lujo de sentir pánico.

El libro

Recuerda que tus padres nunca fueron entrenados. Los compañeros no ofrecen cursos de «cómo ser padres», así que tienen que espabilarse (imagínatelo por un momento) y confiar en las técnicas que sus propios padres utilizaron con ellos.

Incluso utilizan el mismo manual. Nosotras estamos bastante convencidas de que cuando nacemos, hay una nota enganchada en nuestro pulgar explicando a los padres dónde encontrar una copia del libro *Cómo ser padres en las Edades bárbaras*. El libro hace años que ya no se edita, pero alguien guardó un ejemplar y de él se extraen todas esas cosas impertinentes que dicen continuamente:

- ❀ «Mientras vivas bajo mi techo, te has de someter a mis normas.»
- ❀ «Porque yo lo digo.»
- ❀ «Si Susana se tirara por la ventana, ¿tú también lo harías?»
- ❀ «Borra esa estúpida sonrisa de tu cara.»
- ❀ «Eras tan buena.» (*¿Qué soy ahora? ¿Un oso pardo?*)

✳ «No utilices ese tono de voz conmigo, jovencita.»

✳ «Supongo que crees que el mundo gira a tu alrededor.»

Érase una vez...

El libro no tiene siquiera un capítulo sobre la adolescencia. Los padres en las Edades bárbaras no tenían que preocuparse demasiado por los problemas con los jóvenes. Cuando una chica tenía 13 o 14 años, era entregada a un marido amable y respetable, siempre mayor que ella. Se le separaba de sus padres antes de que pudieran decir la palabra *adolescente*. De hecho, la palabra no se empezó a emplear hasta la década de los 40.

A tu edad, la diversión había desaparecido ya. No más fiestas en los castillos. ¿Por qué? Porque probablemente a tu edad ya eran padres/ madres.

Si esto te parece cruel, considera que en esas épocas los adultos solían morir a los 40 años. Trata a tus padres con un poco más de respeto, ya casi son antigüedades.

Puesto que la pubertad no llegaba antes en ese periodo y los niños dejaban sus hogares a los 14 años, los padres no consiguieron demasiada experiencia con gente de tu actual etapa de la vida. De hecho, la adolescencia es un concepto bastante moderno. Como resultado de ello, los padres actualmente no tienen ni la estructura genética, ni una larga tradición, para tratar con los jóvenes. Todo es bastante nuevo.

Lo que estamos intentando decirte es que los padres de hoy día son pioneros en el tema de tener jóvenes en sus hogares. Tú tendrás que ir aflojando las riendas poco a poco mientras que ellos van determinando las reglas –y realmente necesitan tu ayuda.

Somos una familia

Por el hecho de saber lo horrible que era la familia en la moderna Edad de Piedra, a lo mejor ahora ya estás más contenta. Actualmente existe una variedad infinita en el término *familia*.

A lo mejor tienes dos padres, uno de cada género. Éste es el modelo tradicional, pero hay muchas variaciones. Puedes tener una madre soltera, o dos padres solteros. A lo mejor uno o ambos de estos padres solteros ha rehecho su vida expandiendo así las posibilidades interminables para la Receta para el Desastre de una familia descrita anteriormente. ¿Y si estas parejas nuevas tienen cada uno de ellos un par de hijos, y tú además ya tienes tus propios hermanos, hermanas, abuelos, tíos y primos?

¿Qué es una familia típica? La familia típica ya no existe. Lo único que es típico es que como adolescente piensas que la tuya es la peor familia. Sea cual sea la estructura de tu familia, seguro que piensas que es desastrosa. Nosotras seguimos defendiendo la idea de que es más fácil controlar a sólo dos padres. Tanto si tienes uno, dos o más, todos intentarán controlar tu vida en el mismo momento en que descubras que lo puedes hacer por ti mismo.

¿Es irremediable?

En este momento quizás empieces a sentirte un tanto desanimado. Después de todo, tú no tienes culpa de nada. Ellos te han traído al mundo y la biología se ha encargado de arrastrarte con su fuerza irresistible. Miras a tu alrededor y te preguntas, «¿Cómo he llegado aquí?». Pero tus padres no te contestan en un idioma que tu puedas comprender. Mientras tanto, se despiertan cada mañana aterrorizados sabiendo que hay un joven peligroso en la casa. En otras palabras, ha llegado el momento de desvanecerse. Un día de estos te los encontrarás a solas en su habitación, meciéndose con los ojos cerrados, los dedos en los oídos, cantando una nana.

Sorprendentemente, los padres incluso en esta etapa avanzada del deterioro pueden llegar a vivir de nuevo una vida feliz y plena. Pero para ello hay que esforzarse. ¿Estás lista para el trabajo? Ha llegado el momento de empezar a trabajar para crear la familia que quieres. Lo único que tienes que hacer es responsabilizarte. ¡Sigue leyendo!

15

¿Quién es el jefe?
(¡Podrías serlo tú!)

¿Qué puedes hacer con el comportamiento de tus padres? Nosotras te podemos decir que puedes hacer mucho más de lo que crees. Aunque ellos hayan sido tus jefes durante toda tu vida, no tienen todo el poder. Seamos sinceros, ellos no van a dejar fácilmente de ejercer su control. Si hay algo que podamos decirte sobre el poder, es que a nadie le gusta perderlo. En cuanto llegues a la pubertad, su poder empezará a disminuir poco a poco. Tú empezarás a desafiarles en todas y cada una de las decisiones porque estás en el camino rocoso de convertirte en tu propia persona. A esto se le llama *autonomía*, y es algo bueno. Sin embargo tardarás un tiempo en conseguirla, y esto también es bueno.

El tiempo tiene la receta para superar las dificultades, pero ¿por qué esperar? Como adolescente que eres seguro que no tienes paciencia. Es por eso que vamos a conducirte a través del proceso de introducir cambios en tu familia. Después trabajaremos algunos ejercicios para que enseñes a tus amigos. Tu vida cambiará drásticamente, pero no repentinamente. Después de todo, todavía existen leyes que dicen que no puedes conducir hasta los 18 años o irte por tu cuenta para buscar la fama y fortuna. Pero sí puedes ayudar a tus padres en el camino de aceptar tu madurez. Para ello simplemente necesitas persistencia y dedicación.

De todas formas, tu trabajo no es nada comparado con el que ellos van a tener que hacer. El ser padres puede ser muy difícil. La clave de lo que vamos a enseñarte está en demostrarles que su tarea es recompensable. Tienes que convencerles de que permitirte tomar las riendas de tu vida es también algo bueno para ellos. Tienen que creer que hacerte feliz también les hace ser feliz a ellos.

Piensa como un jefe

No basta con *decir* a tus padres lo que quieres que hagan, si bien sería fantástico que la vida fuera tan sencilla. Han empezado a perder audición y ya sólo registran la mitad de lo que dices. Además siguen viéndote como un conejito –o como un oso pardo, quien sabe. De todos modos, nadie habla, así que tú necesitas un plan de ataque diferente.

Supongamos que de repente te has convertido en la jefa de la empresa. Aún mejor, la productora de un programa de televisión para jóvenes. Tú eliges el programa. A partir de ahora, siempre que mencionemos «el programa» pensarás en tu familia. Vamos a explicarte cómo dirigir a tu nuevo equipo de colaboradores del programa. En el proceso, aprenderás a dirigir a tus padres y a ayudarles a aceptar tu recién descubierta madurez. Para ello, en este ejercicio ellos serán tu personal. Por cierto, no es necesario que les cuentes sobre el juego. Ésta es más información de la que ellos necesitan –y este ejercicio se trata de ofrecer la información adecuada a la gente adecuada y en el momento adecuado.

Vamos a crear el escenario. Tú eres una productora de primera, conocida en todo Hollywood como alguien capaz de hacer triunfar cualquier programa. Eres lista, tienes disciplina y eres incansable cuando se trata de alcanzar el éxito. Cuando de repente te llaman para que intentes salvar el programa *El trauma de la adolescencia* que está en crisis. La audiencia ha disminuido considerablemente, el director no está contento, los colaboradores del programa tampoco y el «talento» no es feliz. Todos están preocupados por el futuro. ¿Quién quiere entrar a formar parte de un equipo fracasado?

Tú misión, si aceptas la oferta, consiste en darle la vuelta a la situación.

Habla como un jefe

¿Cómo empezar? ¿Entras por la puerta y anuncias a tu nuevo director, colaboradores y «talento» (o sea tus padres), que son una banda de perdedores? ¿Les dices, «Yo soy la jefa, y las puntuaciones están por los suelos y si no sois capaces de salvar este programa, desenchufo y cierro»?

Evidentemente podrías hacerlo. Después de todo, tú eres la directora del programa. Ellos son «tu gente». Pero tu gente, como has podido comprobar, está bastante alterada. Han oído que estás viniendo y están aterrados. Tú tienes mucha fama. De ti se dice que eres poco razonable, muy exigente, pretenciosa, y lo que es peor, no tienes sentido del humor. Por mucho que digas que son todo mentiras, ellos siguen estando convencidos de que vas a despedirlos a todos.

Por otro lado, te conocen desde hace mucho tiempo, desde que eras una joven ayudante de producción. Eras buena en tu trabajo y entonces no parecías un ogro despiadado. Pero a cualquiera se le puede subir el poder a la cabeza.

Ellos simplemente no saben qué esperar y puesto que carecen de información fiable, lo que hacen es llenar los vacíos con información que no es real e imaginar lo peor. Les gustaría que su programa triunfara, pero les asustan los cambios. A los humanos nos gusta saber lo que nos espera cuando nos levantamos por la mañana. Sorpresas, no gracias.

Así que ésta es la situación en que se encuentra tu personal (o sea familia) cuando tú llegas. Se han dado cuenta de que todo ha cambiado pero no conocen las nuevas normas. ¿Y si resulta que puesto que han sido ellos los que se han metido en este frenesí tú llegas con todas tus fuerzas? ¿Y si empiezas la película con un berrinche? ¿Conseguirás con ello la reacción que quieres?

Lo más probable es que utilizando este método lo único que consigas es parar la producción totalmente. Sus peores temores se habrán cumplido y su actuación empezará a descender en picado. Irán cayendo unos detrás de otros. Los disparos no tendrán ningún objetivo. Los actores llegarán a actuar sin maquillaje. En resumen, será el caos.

Ten paciencia de jefe

Puede que ni siquiera estés segura de qué es lo que pretendes. De hecho, es un territorio recién creado. Sabes que quieres cambiar las cosas; no te gusta cómo se está dirigiendo el programa y tú quieres ser la jefa. Pero, también quieres hacerlo ya. Tú no hubieras llegado donde estás ahora si no fueras inteligente.

¿Dónde empezar? Lo primero que tienes que hacer es *trabajar* a tus colaboradores. ¿Cómo demonios vas a conseguir convertir a esta manada de inútiles en un equipo próspero? Lo que es evidente, es que ellos ni siquiera lo han *intentado* y que nunca han buscado nuevos caminos. Lo único que hacen es quejarse: «¿Qué va a pasar con nosotros ahora?, ¿perderemos nuestro empleo?».

(En tu familia será algo así como: «¿Desde cuándo nuestras vidas giran alrededor de sus hormonas? ¿Quién ha muerto y la ha hecho Reina?, o: Si yo digo blanco, ella dice negro; pero si sus amigos dicen blanco entonces sí que está de acuerdo».)

Éste es un comportamiento completamente normal para un equipo –o una familia en este caso– que está experimentando un cambio drástico. Al cabo del tiempo, las cosas irán mejorando incluso sin tu ayuda. La gente suele acostumbrarse a todo. Sin embargo, utilizando las técnicas adecuadas, un buen productor y director puede cambiar las cosas más fácil y eficazmente.

Trabaja como un jefe

Como jefa, vas a tener que mantenerte un poco alejada y observar con todo detalle el problema para averiguar la manera de obtener lo que quieres (lo cual supongo que es más libertad para tomar elecciones más creativas, dirigir tu propio programa y conseguir un éxito enorme). Para ello tendrás que estar respaldada por todo el equipo, el cual tendrá que trabajar a plena capacidad. Quieres que te dejen a solas para poder realizar tu trabajo, pero también quieres que tus colaboradores te ofrezcan ideas y consejos cuando lo solicites. Básicamente, quieres que realicen un buen trabajo (por ejemplo, el de ser padres) incluso aunque se produzcan algunos cambios en la descripción del puesto. Así pues, ¿cómo vas a ayudarles a arrancar en la dirección correcta?

En primer lugar, tendrás que comunicarte con ellos. Hazles saber qué es lo que quieres y cómo va a cambiar su papel. A esto se le denomina buena dirección. No te de rabia decirles que todo está correcto, que son unos empleados valiosos y que confías en su habilidad de realizar un buen trabajo. Aunque tengas algunas dudas, juega limpio y diles que siempre te ha gustado su programa.

Otro aspecto importante de la comunicación es la venta. Deberías demostrarles qué parte de ella es para ellos; deberías explicarles abierta y honestamente las grandes ventajas del cambio (Proyecto Adolescencia). (Esto quiere decir que deberías decirles que darte más independencia reducirá sus preocupaciones, les permitirá dormir mejor, les dará más tiempo libre, y por último reducirá los costes. Menciona la idea de fines de semana románticos a solas.)

También tendrás que averiguar las maneras de tratar con los sentimientos negativos. («Mamá, últimamente te noto un tanto depresiva. ¿Por qué no vamos juntas a alguna tienda y te compras un conjunto nuevo para alegrarte? Ya conduciré yo y así tú podrás descansar.»)

Y, por último, busca algunos *campeones del cambio*. (En una familia, hablamos de algún hermano mayor, tíos, abuelos o incluso amigos de tus padres.) Esta gente cree en ti y en lo que estás intentando hacer. Y lo más importante, es gente en quien tus padres confían y respetan. Además, lo que ellos digan tiene más peso que lo que tú digas. Unas pocas palabras de ellos pueden conseguir mucho más que horas y horas de argumentación y persuasión tuyas. Llámales y cuéntales tu historia. Pídeles su ayuda y apoyo. Todo lo que tienen que hacer es describir una experiencia exitosa que hayan tenido contigo y decir: «Dadle una oportunidad. Es una chica lista y de fiar y está preparada para el desafío».

Camina como un jefe

La parte difícil de dirigir tu propio programa es que tendrás que demostrarlo tú misma. No basta con decir las cosas adecuadas, aunque por eso se empieza. Si lo que quieres es ganarte la confianza y respeto de tus empleados, cosa que debería ser tu objetivo, tendrás que «dar ejemplo». Tendrás que demostrarles que vives bajo las mismas normas que ellos.

Al final tendrás que demostrar que estás lista para asumir mayor responsabilidad. Si les dices que tu criterio es magnífico, ellos van a buscar pruebas que así lo demuestren. Deberás encontrar oportunidades de impresionarles con tu sentido común y tu visión a largo plazo. En resumen, tendrás que entregar beneficios.

Esto no es tan duro como parece. Si tratas justamente a tu personal/padres, al final ellos te tratarán con el mismo respeto. Ellos quieren ver cómo cumples con tus promesas. Así que si te propones hacer algo, hazlo. ¡Simplemente eso! No hay excusas que valgan. Dices qué es lo que vas a hacer y lo haces. Después, para demostrar que no ha sido por chiripa, lo vuelves a hacer. En cuanto se hayan convencido de que tratas con ellos sinceramente, estarán dispuestos a darte más libertad. Poco a poco irás consiguiendo beneficios mayores.

Y ahora un mensaje comercial...

Los padres de Laura eran muy estrictos con él cuando era joven. De hecho, su hora de llegada máxima eran las 11 y media. Sin embargo, ella y su amiga Sharon salían cada noche del fin de semana. Ellas eran siempre las primeras en marcharse de las fiestas. En el peor momento de la noche —normalmente cuando se le acababa de acercar algún chico guapo— Laura miraba el reloj y decía, «Tengo que irme a casa». A menudo tenía que correr desde la parada del autobús hasta su casa, pero siempre conseguía llegar puntual. Al año siguiente sus padres no sólo le retrasaron dos horas la hora de llegada sino que también le dejaron su coche. Se había ganado su confianza.

Si todo funciona según lo previsto, tus empleados ahora empezarán a cambiar de opinión. Incluso empezarán a demostrar algo de entusiasmo y a tener nuevas ideas para hacer que las cosas funcionen mejor. Anímales e intenta usar sus ideas siempre que sea posible.

Considera también la posibilidad de ofrecerles una bonificación. No olvides que a tu personal (padres) ahora le gusta mezclarse contigo. Puede que te horrorice la idea pero piensa que requiere una inversión de tiempo mínima y que la recompensa en términos de construir confianza es muy generosa. Vigila, no lo hagas demasiado a menudo no sea que se convierta en algo habitual. Incluso los mejores empleados se pueden echar a perder fácilmente.

Tarde o temprano tus empleados aceptarán la idea de que el cambio es permanente. Evidentemente, necesitarán tener continuamente promesas tranquilizadoras, feedback y formación durante un tiempo, y piensa que aún y así siempre se producirán crisis de poca importancia y algún que otro retraso. Pero su actuación mejorará regularmente conforme vaya gustándoles la idea de formar parte de un programa con éxito.

De verdad que el premio es muy bonito. Y todo gracias a tu buen sentido, a tu disciplina y al respeto por ti misma y por tus empleados. Tienes unas habilidades directivas magníficas y gracias a ellas llegarás lejos.

16

Consigue lo que quieres

Ahora ya sabes cómo ayudar a tus padres a superar el trauma de tu transición hacia la adolescencia. Por muy bueno que sea, tiene también su parte negativa. Conforme vayan saliendo de su estupor, serán cada vez más severos y tú tendrás que trabajar más duro para conseguir lo que deseas. No hay nada como un padre desconectado que no quiera condescender a las necesidades de un hijo. Un padre que presta demasiada atención suele ser un padre problemático. La situación es difícil pero no imposible. Recuerda que tú te has llevado lo mejor de sus genes. Con la práctica, podrás burlarles pero tendrás que presentar eficazmente tus necesidades.

Probablemente ya no se dejarán engañar por tus necesidades tan fácilmente como lo hicieron cuando tenías cuatro años Ahora no es fácil persuadirles. Una simple palabrota –es sólo un *adjetivo*– en tu petición y tienes el «no» garantizado, independientemente de lo razonable que ésta sea. Una pequeña burla o desprecio, aunque esté bien disimulada detrás de una revista, hará fracasar tu misión. No queremos ofenderte, pero en cuanto pierdes el encanto de los 4 años y adoptas la actitud de los 15 años, los padres tienden a decir a todo que no, excepto a las preguntas sarcásticas. Dirán «sí» cuando les digas, «creo que seríais más felices si nunca más saliera de casa».

Vas a tener que hacer unos pocos sacrificios para conseguir lo que quieres. A veces tendrás que morderte la lengua. Otras, tendrás que decir cosas bonitas que te dará rabia decir. Sin embargo, pronto te darás cuenta de que hay un precio pegado en todo aquello de valor. A veces, si quieres algo de todo corazón, tendrás que ser *buena* para conseguirlo. Afortunadamente hay muy pocas ocasiones en las que tendrás que ser *mejor* de lo que lo es aquello que quieres conseguir. Estamos hablando de habilidad. Todo se reduce a desarrollar una estrategia para obtener lo que quieres y practicar hasta que lo consigas.

¿Quién tiene el poder?

Entre los muchos problemas con los que te encontrarás está el hecho de que aunque ya seas bastante mayor, todavía necesitas el permiso de tus padres para hacer cualquier cosa que no sea ir al colegio. Éste es un obstáculo importante. Igual que lo es el hecho de que necesitas su ayuda cuando se trata de asuntos económicos. Aún y así, tu impresión de que lo que tú dices no cuenta para nada en tu casa es completamente falsa. Llámalo el *secretito* de tus padres. Para ellos es mucho más fácil hacerte creer que no tienes control, especialmente en los asuntos de dinero.

Coge cualquier periódico o revista y verás artículos describiendo la influencia enorme que ejercen los adolescentes en sus familias, particularmente en cómo gastan el dinero. En un mundo en el que el dinero quiere decir poder, tú eres verdaderamente poderosa. Cualquier negocio importante, desde el mundo del ocio y entretenimiento hasta el mundo de la moda pasando por el de la alta tecnología, está cortejándote a ti. Pagan enormes sumas de dinero a firmas de investigación de mercados para averiguar cada uno de los detalles de lo que gusta y disgusta, y los hábitos de gasto de los jóvenes de vuestra generación. La empresa que mejor prediga vuestro siguiente gran interés será la que triunfe.

¿Qué se siente siendo el grupo más investigado en un mundo orientado al consumidor? ¿Siendo los que imponen las modas del nuevo milenio? Disfruta de tu poder. No sólo gastas el dinero en tus propios «juguetes» sino que también influencias muchas de las compras de la familia. Mira a tu alrededor y pregúntate, *¿He sugerido yo esta marca? ¿Me hubieran comprado este ordenador si yo no hubiera insistido en él?* Pero la cosa no acaba aquí. Tú eliges dónde comes, qué películas ves y qué ropa se pone tu familia –desde tu mamá hasta tu hermana. Todo lo que necesitas es el consentimiento de tus padres y una tarjeta de crédito y ¡adelante!

Todo depende de la formación

Sabemos que no sólo te preocupa gastar, gastar y gastar. También quieres hacer lo que quieres y cuando lo quieres. Aquí es donde los padres pueden ser especialmente problemáticos. Demasiado a menudo creen tener una opinión sobre tus planes. De hecho, *tienen* algo que decir sobre tus planes y te lo recuerdan cada día. Mientras que tú estás ahí felizmente apretando el acelerador cuando el chirrido de los frenos te arroja al cuadro de mandos de la vida. Los padres de nuevo te ofrecen una razón para arruinar tu diversión. Te recomendamos que utilices alguno de tus ahorros para comparte un *airbag*, porque va a ser un viaje muy ajetreado.

¿Cómo hacer para que se rindan en algunas batallas de la vida? Existen varias técnicas que vamos a enseñarte, pero el consejo fundamental que te podemos dar es que les impresiones de tal manera que lleguen a *pensar* que han ganado. Tu objetivo es dejar a tus padres totalmente satisfechos, incluso que presuman de su decisión de dejarte hacer algo. Para ello hay que convencerles de que son los padres más inteligentes y buenos del mundo, y que su excelente manera de educar te ha preparado para una vida de salud, felicidad y éxito.

Esto implica que tendrás que ser *buena*, pero nunca tan buena que levantes sospechas. Esto forma parte del nuevo régimen de formación. La gente con una buena formación suele conseguir beneficios similares a los que consiguen los perros. ¿Quieres que estén todo el día lamiendo y ladrando frenéticamente, o prefieres poder llevártelos a cualquier sitio, sabiendo que saben comportarse? Bueno, al igual que te dirá cualquier amo de un animal doméstico, tiene tanto que ver tu formación como la formación del perro. Los dueños buenos engendran animales maravillosos.

El silencio puede ser dorado

Empecemos con unas palabras sobre la comunicación efectiva. Puesto que la comunicación efectiva es la clave para cualquier cosa, cuanto antes la domines más fácil será tu vida. Si sabes cuándo hablar y qué decir estarás siempre en un buen lugar en tu vida –en el trabajo, en las amistades, y en las relaciones en general– por eso, será mejor que empieces cuanto antes a practicar con tu familia.

Es una regla muy sencilla: *cuanto menos mejor.* Cuanto más hables, en más problemas te meterás. Un monólogo invita a alguien dentro de tu cabeza. Piénsalo bien, ¿se está bien ahí? No cuesta demasiado soltarse a hablar, a veces basta con que haya un silencio. Nos sentimos obligados a llenar ese silencio. Recuerda que tus palabras pueden ser utilizadas en tu contra, especialmente si la audiencia son tus padres. No hay nada que sea «confidencial». Ellos son capaces de relacionar, a una velocidad espantosa, un fragmento de algo que dijiste hace seis semanas con algo que digas hoy, y entonces tú acabarás en tu habitación matando el tiempo antes de darte cuenta de que has tirado de la manta.

Es difícil saber cuándo es mejor saber callar que hablar. ¿Has visto alguna vez una serpiente tragándose una rata? Éste es el dolor que se siente cuando tienes ganas de decir algo pero sabes que no debes hacerlo. Sabes que si lo dices, acabarás perjudicándote a ti misma y no conseguirás lo que quieres. Así que trágate esa observación que querías hacer. Sigue nuestro consejo: a veces puedes expresarte más eficazmente quedándote callada.

Los mensajes clave

Tus padres quieren que hables. Intentarán a toda costa sonsacarte una o dos palabras. Les preocupa qué estás pensando y si es algo peligroso. Lo más normal es que cuando por fin consigan hacerte hablar, se queden tranquilos –y disgustados– al comprobar que lo que realmente te preocupaba era qué color de pintalabios comprar o si le gustas al chico nuevo de tu clase.

Es algo un tanto complejo. Por un lado, quieren que digas lo que piensas, pero cuando se enteran se horrorizan. Lo que quieren (lo que en realidad en realidad quieren) es que digas lo que ellos quieren oír. Esto ocurre con la mayoría de las personas. Claro que tú has estado durante tanto tiempo concentrándote en decir exactamente lo contrario de lo que tus padres querían oír, que ahora te aterra la idea de un cambio radical. Empieza por decir algunas de las cosas que les molesta escuchar.

No es tan difícil como parece. Tendrás que desarrollar una serie de «mensajes clave» para sacarlos en esos momentos en los que tu madre

te mira con esa mirada ansiosa como diciendo «¿estás bien de veras?».
Inserta tus mensajes en las conversaciones. Aquí tienes algunos para
poner en rotación, pero también puedes crear tus propios mensajes:

1. Me gusta mi vida, y tal como soy.

2. Me gusta el colegio –o por lo menos no lo odio- y reconozco que
   la educación es importante.

3. Me gusta comer. No comparto la idea de que cuanto más delgada mejor.

4. Me gusta que me traten con el mismo respeto con el que yo trato
   a los demás.

5. Las relaciones son importantes pero el mundo no gira alrededor
   de los chicos.

Sabemos que todo esto suena horrible; que no puedes decirlo así o
sonará artificial. Deberás utilizar tus propias palabras y convertirlo en
una historia. Por ejemplo, podrías hablarle a tu madre sobre una chica
del colegio que parece anoréxica. Dile que te da lástima que haya tenido que abandonar su camino porque no tenía energía para seguir. A
tu madre se le saltarán los ojos, mientras intenta desesperadamente
recordar la última vez que te vio comiendo una pizza. Entonces es
cuando le golpeas con uno de tus mensajes: crees que comer sana y
equilibradamente es lo mejor.

De ninguna manera te estamos sugiriendo que mientas. Lo que
queremos es que creas en lo que dices. Estas son cosas en las que vale
la pena creer y si las repites suficientemente acabarás creyéndolas. No
te quedes para ti misma los pensamientos positivos. Repítelos, repítelos, repítelos; están hechos para ser compartidos. Recuerda que cuanto
mejor adaptada te vean, más inclinados estarán a dejarte perder en el
mundo. Ellos tienen que saber que te respetas lo suficiente como para
mantenerte sana. Si están seguros de tu autoestima, no se preocuparán
demasiado por tu seguridad. Piensa los mensajes, dilos, repítelos constantemente –y verás como tu mundo cambia totalmente.

Tu arma secreta

Es importante que tengas presente que por mucho que irrites a tus padres en esta etapa de la vida, ellos seguirán teniéndote cariño (a veces incomprensiblemente). Tienes que saber que se sienten un tanto *culpables*.

Es algo así: coge dos personas normales parecidas a ti –de hecho, cada una de ellas comparte la mitad de tus genes– y observa cómo se convierten en padres. Adiós *diversión*, adiós *normalidad*, adiós *tranquilidad*. Estas dos personas se juntan, tienen un hijo y entonces es: hola CULPABILIDAD. Están tan atemorizados por su nueva responsabilidad que empiezan a preguntarse si son lo suficientemente buenos, fuertes y listos para guiarte sin peligro por las peligrosas aguas de un mundo malvado. La culpabilidad les inunda como si fueran olas monstruosas. Se sienten culpables de todas las cosas malas que han hecho en su vida; culpables de todas las preocupaciones que han causado a sus padres; culpables de la situación del mundo actual –especialmente este último punto.

Mientras escuchan las noticias por la noche, se van formando encima de sus cabezas como unos globos enormes con toda una serie de preguntas:

¿Somos buenos padres? ¿Es realmente más duro ser adolescente ahora que antes? ¿Está creciendo demasiado deprisa? ¿Estamos enseñándole las cosas correctas? ¿Cogerá cáncer de piel por culpa de que nuestra generación ha formado grandes agujeros en la capa de ozono? ¿Come lo suficiente? ¿Pasamos suficiente tiempo con ella?

Todo esto es ciertamente muy triste, pero a la vez muy útil porque te da la oportunidad de *recompensarles*. Tú puedes ayudar a tus padres a sentirse mejor y así conseguir lo que quieres, simplemente haciendo un esfuerzo por aliviar su complejo de culpabilidad. Como te diría cualquier buen entrenador, el truco está en ofrecer reforzamiento positivo. De la misma manera que ofrecen un pez a una foca después de haber lanzado una pelota con la nariz, tú deberías premiar a tus padres cuando su comportamiento te hace feliz. Hay muchas maneras de darles un «pez», y tú eres la que mejor sabe cómo hacerles sonreír. Quizás hace mucho tiempo que no les ves sonreír. Suele ocurrir que están tan ocupados con sus ajetreadas vidas que no se detienen a oler el pez.

De hecho, no hay mejor manera de recompensar a tus padres que aliviándoles de su culpa. No disminuirás sus provisiones por hacerlo –simplemente serán reemplazadas cada noche con la noticia de algún desastre. Pero sí puedes darles unos momentos de alivio maravillosos simplemente demostrándoles que estás *contenta de vivir*. Esto es especialmente importante para las madres, las cuales llevan la peor carga de la culpa. Los hombres (sorpresa, sorpresa) suelen ser más hábiles a la hora de encontrar el botón de «desconectar» la culpa. Así que guárdalo para mamá y vácíalo cuando veas que realmente lo necesita. Incluso aunque no estés buscando nada en concreto, prepárale una taza de té, pon una lavadora, y observa como aparece esa sonrisa como por arte de magia. Pensará que eres una buena chica, y créenos, esto te ayudará enormemente.

Fácil, ¿verdad? Sí, pero procura ser astuta a la hora de utilizar el reforzamiento positivo. Las recompensas deberían ser pequeñas y frecuentes. Si de repente decides aspirar y sacar el polvo a toda la casa, seguramente fracasarás. Nada hace disparar la alarma de los padres tan pronto como una adolescente que quiera limpiar. Se darán cuenta de que estás haciéndoles la pelota porque quieres algo muy grande a cambio. Cuando se den cuenta de ello se apoderarán de nuevo del poder y seguramente no conseguirás lo que pretendías.

El enfoque directo

Intentar aliviar la culpa de tus padres evidentemente no es la única manera de conseguir los deseos de tu corazón. Hay muchos otros mecanismos que tendrías que recordar mientras conspiras para algo que requiera el permiso y/o los recursos de tus padres.

Por ejemplo, podrías conseguir un trabajo a tiempo parcial. ¡Espera! ¡No cierres el libro! No hemos perdido el juicio. Conseguir un trabajo es obviamente una táctica extrema, pero estúdialo desde todos los ángulos. En primer lugar, queremos que comprendas que no estamos hablando de algo demasiado agotador ni a lo que tengas que dedicarle muchas horas. Es sobre todo un gesto cuya intención es la de generar la admiración en tus padres. En segundo lugar, considera que podrías encontrar un trabajo que fuera divertido y te permitiera conocer gente. Nosotras dos nos conocimos trabajando juntas cuando éramos adolescentes. Y por último, ganarás tu propio dinero para gastar en lo que quieras. Tus padres saben que pierden cierto poder a la hora de discutir las compras que hagas con tu dinero.

¿Y si ahorras lo suficiente como para comprar algo más que un simple par de pantalones? Lo mejor de esta solución es que tus ganancias se pueden multiplicar. Imaginemos que has visto un teléfono móvil que te encanta. Y, trabajando solamente unas horas en la tienda de la esquina no vas a poder comprártelo. Explica tu objetivo a tus padres, y verás como cambia su actitud. Notarán que estás haciendo un esfuerzo. Evaluarán el valor de tu objetivo (por ejemplo un teléfono móvil = accesibilidad), y probablemente acaben desembolsando el dinero que te falta para asegurar que estés disponible a tus amigos las 24 horas del día. Obviamente, algunos objetivos estarán fuera de tu alcance hasta que no tengas un trabajo mejor remunerado, ¡pero no es malo aspirar alto!

Existe otro beneficio sorprendente de tener un trabajo. Tus padres estarán muy impresionados por tu cambio. Estarán tan orgullosos de ti que probablemente te concedan más privilegios de los que tenías anteriormente. Para ellos, te has convertido en una Chica Responsable.

❋ ❋ ❋ ❋ ❋ ❋ ❋ ❋ ❋ ❋ ❋ ❋ ❋ ❋ ❋ ❋ ❋

Mi hermana empezó a trabajar en un McDonalds el día que cumplió 16 años. De repente, mis padres han empezado a verla como una chica maravillosa. La miman todo el día. Si se salta una comida por culpa del trabajo, al día siguiente cocinan para ella su comida preferida. Les importó un comino que yo me saltara la cena el otro día por llegar tarde a casa de regreso del centro comercial. Se pasa el día hablando por teléfono y encima le dejan salir hasta tarde los fines de semana. Dicen que necesita un descanso porque trabaja demasiado. ¡Por Dios, un descanso! —sólo trabaja un par de noches por semana y además le encanta porque conoce chicos y se gasta todo el dinero que gana en ropa.

❋ ❋ ❋ ❋ ❋ ❋ ❋ ❋ ❋ ❋ ❋ ❋ ❋ ❋ ❋ ❋ ❋

No hace falta decir más. Al igual que ocurre con muchas cosas en la vida, todo es cuestión de percepciones y de aprender a «darle la vuelta a las cosas» a tu favor. ¿Qué es «darle la vuelta a las cosas»? Es lo que ocurre cuando alguien coge una lata vieja, la pinta con spray dorado, y la denomina arte. Con una campaña publicitaria suficientemente convincente, la gente empezará a creer incluso en la historia más increíble.

Lo que importa es el timing

Otra clave para conseguir aquello que quieres es elegir el momento más oportuno para preguntar (*timing*). Depende de si es o no el momento oportuno conseguirás una respuesta u otra. El tiempo «adecuado» es básicamente cuando tu padre o tu madre están tan distraídos que ni siquiera están seguros de su propio nombre. Has de aprovechar el momento para insinuar tu pregunta, la cual a simple vista debería parecer engañosamente simple. Presta atención al «darle la vuelta a las cosas», pero no te excedas y hagas una presentación demasiado brillante. Busca la pregunta que no levante sospechas y preséntala en un tono de voz casual. Si estás nerviosa, espera a estar relajada, porque está comprobado que el olor del miedo puede penetrar en cualquier desastre que tu madre esté intentando arreglar. Dejará de hacer lo que esté haciendo, lanzará una mirada en tu dirección, y te dirá fríamente, «Discutiremos sobre ello más tarde». Este es el beso de la muerte. Mejor será que pases más tiempo en frente del espejo de tu cuarto de baño perfeccionando tu expresión «en blanco».

Para evaluar tus habilidades de expresión y de elegir el momento oportuno, realiza este cuestionario:

Cuestionario

Elige el momento

1. «Mamá, ¿puedo ir a comer a una pizzería con unos amigos este fin de semana?» (No es el momento de comentar que la pizzería en cuestión está en otro pueblo y que tu amiga, la que se acaba de sacar el carné de conducir después de haber suspendido tres veces, es quien va a conducirte hasta allí.)

Prefieres preguntarlo:

a. Cuando toda la familia está cenando y tus padres están comentando determinados temas serios e importantes.

b. Cuando tu padre está encerrado en su despacho.

c. En medio de la sesión de meditación de tu madre.

d. Cuando tu madre está llegando tarde al trabajo.

2. **«Papá, ¿puedo comprarme un nuevo CD que se compone de 5 discos?» (¿Por qué están empeñados en cambiar tus gustos musicales?)**

Prefieres preguntarlo:

a. En la media parte de un partido de fútbol en el que el equipo de tu padre está perdiendo.

b. Aprovechando que salís juntos a comprar el regalo para el cumpleaños de tu abuela.

c. Cuando los invitados que tus padres tienen para cenar están a punto de llegar y están todavía acabando de preparar la cena.

d. Justo cuando tu madre acaba de descubrir el paquete de cigarrillos que tu hermana tenía escondido en su habitación.

3. **«Podría ir (la cortesía nunca hiere) al parque de atracciones el sábado con John? (No hace falta que les expliques, a no ser que te lo pregunten, que el tal John es ese chico de la gasolinera que va totalmente tatuado y que tiene una actitud que tus padres no pueden soportar.)**

Prefieres preguntarlo:

a. Cuando tu padre se dirige al lavabo con el periódico bajo el brazo.

b. Cuando tus padres están en casa con los amigos que han invitado para hacer una barbacoa y ya se han bebido varias cervezas.

c. Justo cuando la novia de tu padre acaba de dejarle por uno más joven que él.

d. Cuando tu madre está ocupada limpiando lo que el perro ha vomitado, por culpa de algo que tú le has dado para comer sabiendo que no debías.

4. «¿Sabéis?, estoy pensando en lanzar mi propio negocio. ¿Estáis de acuerdo?» (¿Por qué preocuparles con los detalles de tu existencias iniciales –un cubo y una escobilla de goma- cuando es tu actitud empresarial lo que admiran?)

Prefieres preguntarlo:

a. Cuando tu madre está disfrutando de un baño de burbujas con velas y música relajante.

b. Después de que tu padre llegue del trabajo, describiendo a su jefe con palabras que si tu las dijeras te echarían de casa.

c. Cuando tu recién divorciado padre está preparándose para salir a esa cita a ciegas que tu tía Kim le ha organizado.

d. Cuando tu madre separada está pidiendo disculpas a su nuevo novio porque tú le has estropeado su nuevo reproductor de discos láser.

Respuestas:

1. *El paraíso de la pizza*

Si has contestado **a**, **b**, o **c**, sentimos decirte que te vas a quedar sin pizza con tus amigos este fin de semana. Tendrás que quedarte en casa viendo videos educativos con tus padres. Estamos seguras de que tus amigas van a guardarte un trocito. Pero, si has contestado **d**, ¡Felicidades!. Vas a disfrutar de un formidable fin de semana.

Imagínatelo: es la mañana y tu madre está llegando tarde al trabajo. Corre de un lado a otro de la casa como una loca, preparando la comida de tu hermano pequeño con una mano mientras con la otra se sube las medias. Su busca y su móvil se han quedado sin batería. Y ahí estás tú, el angelito al rescate.

Mientras le dices que lleva el jersey del revés, ¿por qué no le ayudas a buscar las llaves del coche y le preguntas lo de la pizzería? Apártala de lo que está preparando para tu hermano y hazlo tú. (Nota: si ayudar a tu hermano pequeño es algo horrible, sustituye su mostaza de siempre por esa salsa tan picante que le gusta a tu padre. Esto te ayudará a calmar tu mente inquieta.) ¿Por qué no preparar también algo de comer para tu madre? (En este caso, utiliza la mostaza de siempre.) Si lo haces, no sólo conseguirás que te deje ir a comer fuera sino que a lo mejor incluso se ofrece a pagar la cuenta.

2. *La maravillosa alta fidelidad*

Si has elegido **a**, **b** o **d**, mejor será que digas adiós a todas tus ideas de comodidad, porque vas a tener que seguir intentándolo mientras tus amigos, expertos en decir las cosas en el momento oportuno, están ya ganduleando en sus camas.

Los padres que están totalmente agobiados por la llegada inminente de los invitados son el objetivo primordial. No hay nada tan deprimente como que lleguen unos amigos a cenar arregladísimos y te encuentren todavía sin arreglar. Ayúdales a limpiar mientras que ellos se arreglan. Saluda a los invitados y cuélgales los abrigos. Sírveles el aperitivo mientras charlan en el salón. Quédate por ahí y compórtate finamente. Impedir que te compres ese CD sería como quitarle un caramelo a un niño.

3. *La gran cita*

¿Has elegido **a**, **c** o **d**? No nos agrada decírtelo pero el único beso que recibirás de Johnny será un beso de despedida. Si realmente quieres a ese chico, la respuesta correcta es la **b**, en la barbacoa —¿vale?

Acércate a ellos, sírvete una hamburguesa, y prepara el terreno. Cuéntales a sus amigos lo maravillosos que son tus padres. Después menciona al chico que acabas de conocer. Llénales la cabeza con nociones románticas del amor juvenil. Después, ellos les contarán a tus padres todas las bonitas cosas que tú les has contado y ellos se sentirán atentos y bondadosos contigo... entonces, ¡ataca! Golpéales con tus demandas. Hazlo de forma directa y rápida. Les cogerás desprevenidos.

4. *El negocio de la escobilla*

Si crees que **a**, **b** o **d** son las respuestas correctas, esperamos que te diviertas limpiando los coches de tus padres durante el próximo mes porque así es como ellos intentarán «hacerte comprender la realidad». La que tendrías que haber elegido es la opción **c**.

¿Existe alguna persona más vulnerable e insegura en el mundo que un padre o una madre recién divorciada a punto de salir porque ha quedado con alguien? Ese es el momento adecuado para hacerle la pregunta. «Papá, he estado pensando... Siempre me estás diciendo que debería ganar mi propio dinero y he decidido que tienes razón.» En alguna parte de su mente distraída registrará las palabras *tienes razón*, porque éstas son palabras que no suele oír muy a menudo. A continuación, le vuelves a traer al presente, «¡Cielos! ¿No pensarás ponerte **esto**, verdad? Este jersey es espantoso».

Después, mientras se está cambiando el jersey, dices, «Creo que trabajar sería para mí una experiencia muy enriquecedora». Y, antes de que se implique demasiado en la conversación, continúas diciendo, «¡Oh! Nunca me había fijado en lo gordo que se te ve el culo con estos pantalones». Mientras se cambia los pantalones, ataca de nuevo con el tema del trabajo, «Quiero decir que no tendré que estar siempre pidiéndote dinero». Cualquier cosa que tenga que ver con el ahorrar dinero le gustará pero no dejes que se interese demasiado. «Papá, será mejor que te vayas o llegarás tarde.» Cuando se esté metiendo en el coche, dile, «¡Pásatelo bien! Así que ¿estás de acuerdo con mis planes de trabajo?» Si todavía le quedan fuerzas, intentará recordar vuestra conversación, **Um, ha dicho que yo tenía razón, que me ahorraría dinero... ¿Qué puede haber de malo en ello?**

Al final dirá, «De acuerdo cariño, tienes mi consentimiento. Sólo quiero que si necesitas ayuda me lo digas».

Celébralo telefoneando a tu madre para decirle que tu padre ha apoyado tus esfuerzos de convertirte en una «Chica de la Escobilla».

Los trucos del negocio

Tras comentar algunas estrategias para conseguir lo que quieres, te habrás dado cuenta de que es un proceso un tanto engorroso. Desarrollar las destrezas para conseguir los deseos de tu corazón requiere cierta práctica pero te garantizamos que los resultados valen la pena. Terminaremos este capítulo dándote unas normas simples que podrías memorizar y revisar de vez en cuando. No pienses, sin embargo, que estas normas sólo son útiles dentro de la familia. Muchas de ellas pueden también serlo en el entorno escolar, o con tu jefe o compañeros de trabajo. Son una base excelente para la negociación en casi cualquier situación y te ayudarán a mantener la mano bien alta. Te aconsejamos que no intentes practicarlas todas a la vez. Hazlo poco a poco y recuerda que no hay dos padres iguales.

Sé firme, pero amable

Es fácil cometer el error de ser excesivamente crítica y dura con los padres. Lo único que se consigue con ello es perjudicar la relación cada vez más porque en cuanto empiecen a creer que nunca van a ganar, que complacerte es totalmente imposible, pronto dejarán de intentarlo.

No dejes que esto ocurra en tu casa. Tú has de dejar que sigan intentando convertirse en los mejores padres posibles. Para ello, deberás dirigir con cuidado sus expectativas. Los padres, al igual que ocurre con los animales domésticos, se desaniman fácilmente. A pesar de que puedan sobrevivir con poca atención de tu parte, el despreciarles o ignorarles continuamente puede a la larga impedir su desarrollo. Empezarán a actuar de una manera determinada para conseguir tu atención creyendo equivocadamente que cualquier atención es mejor que nada. Pueden llegar incluso a contestarte bruscamente o a reaccionar en exceso a tus infracciones más insignificantes. Te castigarán excesivamente con la única finalidad de dejar bien claro que «Yo soy el padre. No voy a ser ignorado».

Deberías cortar de raíz este comportamiento. Recompénsales con tu atención (por ejemplo, «¿Qué programa te gustaría ver, mamá?»). Demuéstrales que les amas (por ejemplo, «Me encantaría comer hoy contigo, papá»). Incluso podrías intentar darles un abrazo de vez en cuando. Les sorprenderás y reafirmarás su cariño.

Disimula tu disgusto

De vez en cuando, podrías sacrificar tu hábito de caminar diez pasos detrás de tu madre. Sabemos que lo haces para que los demás piensen que no tienes ninguna relación con ella. Recuerda que algo tan simple como caminar con ella, es un acto de amabilidad sumamente valioso porque se realiza en público. Si lo haces casi seguro conseguirás aquello que tanto deseas. También podrías sacar mucho partido de añadir una sonrisa. O, quizás podrías abrirle la puerta, en lugar de entrar tú primero y dejar que le dé en toda la cara. Y, en realidad, todo esto no cuesta nada.

Persiste en tu plan

Decide qué es lo que vas a intentar lograr y después trabaja un objetivo. Por ejemplo, tu objetivo podría ser conseguir tu propia línea de teléfono. Escribe *todas* las razones de porqué anhelas tanto tenerla. Para dar más fuerza a tu objetivo podrías incluir el tema de que tu familia también se beneficiará del cambio.

Agótales

Ten paciencia. La duración de la atención de tus padres es limitada, así que intenta repartirla en intervalos de 15 minutos a lo largo del día. Habla con ellos durante el desayuno, telefonéales al despacho, recuérdaselo a la hora de cenar. Repíteselo todas las veces que haga falta. Trabaja en ello. Al tercer día, tu madre o tu padre debería ser capaz de repetir automáticamente todas las ventajas de que tú tengas tu propia línea de teléfono.

Sé consistente

Concéntrate en una idea si quieras que tus padres sepan qué es lo que quieres conseguir. No te vayas por la tangente o les confundirás. Es *posible* enseñar nuevas técnicas a perros viejos, pero siempre que se haga de una en una. Hazlo de manera simple.

Varía tu enfoque

Tus padres comprenderán cualquier estrategia simple que la utilices a menudo. Si una táctica no tiene éxito, introduce alguna otra. Cualquier técnica que sea perjudicial deberías eliminarla de inmediato, pero no lo consideres un fracaso. El fracaso no existe como tal, es simplemente una oportunidad de aprender. Y recuerda que los padres más testarudos probablemente fueron los que más consiguieron burlar a sus propios padres.

El conocimiento es poder

Estate al tanto pero habla lo menos posible. Cuanto más callada estés más posibilidades tienes de recoger la información que necesitas. Esconderte en tu habitación es contraproducente. ¿Por qué darles la oportunidad de hablar de ti?

Podrás aprender todo tipo de cosas interesantes de tu propia familia simplemente prestando atención a lo que dicen cuando hablan relajadamente con otros. Enseña a tus oídos a reconocer desde lejos el sonido de las voces de tus padres, por ejemplo desde tu cama. Te sorprenderá escuchar lo que dicen.

Mantén la calma

Nunca les dejes ver que estás alterada. Si pierdes la calma perderás el control del juego. Deberías ser el modelo de «chica tranquila».

Los jóvenes son expertos en la «indiferencia» y esta indiferencia es algo que los padres no soportan. Tus padres recordarán con cariño esos años en los que tú eras una niña animada y divertida. Tu interés, ahora apenas demostrado, es una recompensa enorme para ellos. Aunque parezca mentira, tu enfado podría ser una recompensa perversa porque es algo distinto a la indiferencia. Ellos consideran tu «actitud» –ésta es una palabra que escucharás a menudo– como un muro contra el que están constantemente chocando. Esperan destruirlo y encontrar a esa niña alegre que temen haber perdido para siempre. Es por esto que tus padres se meten contigo.

Si estás intentando ganar la partida, tienes que contener cualquier reacción. Por mucho que se metan contigo, que te griten o acosen con preguntas, no reacciones. Deberías tener mucho cuidado de no poner cara de estar divirtiéndote. No hay nada que fastidie más a un adulto que una sonrisa satisfecha.

Si acaban explotando, esfuérzate por mantener una expresión en blanco. Si continúan vociferando, diles en un tono de voz inalterable: «¿Por qué no continuamos esta discusión cuando hayáis tenido tiempo de relajaros y pensar sobre ello? Estáis un poco alterados y yo no puedo hablar cuando estáis en este estado».

En una jugada la victoria será tuya, aunque tengas que acabar disfrutando de ella en un confinamiento solitario.

Haz que sea una situación de victoria

Tienes que dar para recibir, y tienes que aprender a calcular qué puedes sacrificar para conseguir un objetivo determinado. Digamos, por ejemplo, que quieres ir a una fiesta en la que no van a haber adultos controlando. Tus padres te han preguntado directamente si iban a haber adultos y tú no has tenido más remedio que contestar la verdad. ¿Lo das por perdido y abandonas? No, de ninguna manera. Podrías ofrecerles algo a cambio. Podrías acordar que te recogieran al cabo de un rato en la fiesta, o llevarte contigo a tu hermana mayor, si es que ella acepta un soborno importante. Vale la pena sacrificarse por según qué oportunidades. Por otras quizás no valga la pena, pero no te preocupes, pronto aprenderás a reconocerlas.

La vida en el laboratorio familiar

Aprender a dirigir a tu familia te ayudará a desarrollar técnicas que te serán muy útiles en la vida. Imagina que tu casa es un laboratorio y que los miembros de tu familia son las ratas de laboratorio. Claro que tendrás que ser un poco comprensiva en las negociaciones de la vida real, pero en la práctica es muy divertido. ¿Por qué sentirte violenta en público por culpa de utilizar estrategias poco refinadas o por perder el control de tus emociones? Es mucho mejor ensayar primero en tu laboratorio doméstico. Es mejor que las explosiones ocurran en el laboratorio, que para eso están los laboratorios.

Muchos de estos principios pueden ser útiles a la hora de tratar con los compañeros del colegio, los amigos, o los jefes. El último consejo es quizás el más útil. Por mucho que bromeemos, esto es importante: *No* te aproveches de las vulnerabilidades de los demás cuando estés persiguiendo un objetivo. ¡Vigila!, no duele reconocer estas vulnerabilidades. De hecho, así es como puedes convertir una situación en una situación de victoria. Si escuchas e intentas comprender el punto de vista del otro, pronto verás cómo *ambos* podéis conseguir aquello que buscáis.

Los demás consejos también se pueden aplicar a situaciones de la vida real. Nunca es malo planificar para conseguir algo y trabajar duro con paciencia. Si aprendes a adaptar tus necesidades a una situación y persona particular tendrás más posibilidades de éxito. Dar reforzamiento positivo es algo que tendrás que hacer siempre a partir de ahora, por ejemplo cuando dirijas tu propia empresa y quieras que tus empleados satisfagan tus necesidades.

Pero la clave más importante para conseguir lo que deseas en la vida está en *tratar a la gente con diplomacia y respeto*. Estos son los puntos clave de las habilidades necesarias para ser un buen empresario. Trabaja los desperfectos en el «laboratorio familiar» antes de sacar a la luz tus habilidades. Y, siempre deja que piensen que eres lo mejor que les ha ocurrido.

17

Tiempo de calidad

Aquí tienes una de las frases que tus padres te dirán y que seguramente te dejarán perpleja: «Ya no pasamos tiempo de calidad juntos». Es totalmente normal que tú prefieras estar con tus amigos o con tu novio –o incluso sola– que estar con ellos. No deberían tomárselo como algo personal pero es normal que encuentres su compañía aburrida: ellos son *padres*. Además, vivís juntos, ¿cuánto tiempo necesitan estar contigo? ¡Nunca tienen suficiente! Ahí estás tú, haciendo lo propio de tu edad –colegio, trabajo, citas, amigos– y de repente escuchas estas palabras, «Te crees que esto es un hotel». ¡Como si una actitud de este tipo fuera a incitarte a pasar más tiempo en casa!

El problema empieza con la palabra «calidad». Sí, la definición es la misma tanto en los diccionarios de los padres como en los de los jóvenes: significa «excelencia». Pero para los padres, la excelencia es un vino adecuadamente envejecido, o una carne de primera, mientras que para los jóvenes es algo bastante diferente. Los jóvenes no suelen compartir las nociones románticas de tiempo familiar de calidad que tienen sus padres. Imagínatelo, una noche cenando todos juntos alrededor de la mesa, riendo, abrazándose e incluso cantando alguna que otra canción. Para los padres, éste es el escenario maravilloso. Para ti, es como si te tomaran como rehén.

Quizás tu joven paladar no se haya desarrollado lo suficiente para apreciar un pedazo de carne de primera calidad, y tu idea de «tiempo de calidad» sea cualquier momento que pases *lejos* de tus padres. Tampoco tiene que ser así. Podrías enseñar a tu paladar a distinguir entre las diferentes calidades. Considera la diferencia entre una tableta de chocolate normal y corriente y un buen chocolate trufado. En general, una simple trufa es mucho más agradable que dos o tres tabletas de tu chocolate regular. El mismo principio se puede aplicar al concepto de pasar tiempo con tus padres. Ambos lo disfrutaréis más si el tiempo que pasáis juntos es breve, controlado y consensuado.

Aquí tienes un ejemplo. Tu madre se queja de que nunca te ve, a pesar de que te encuentras con ella dos veces por semana cuando lleváis la ropa a la tintorería. De repente te dice que tendríais que pasar la tarde juntas. Tú ¿(1) te sientas en el sofá y te dedicas a ver la televisión con ella, o (2) le propones ir al cine?

Lo más fácil es que te decantes por lo primero porque así no tendrás que hablarle durante el viaje y además no te verán con ella. Es fácil, sí, pero no es la solución correcta y te vamos a decir porqué: ésta no es la trufa que tu madre necesita y por lo tanto va a querer por lo menos dos más de esas tabletas de chocolate normales y corrientes.

La opción segunda es la correcta por varias razones. En primer lugar, conseguirás puntos por ser vista con ella en público. Esto te permitirá entrar de lleno en el territorio de las trufas. En segundo lugar, conseguirás llevarla a ver la película que tú quieras, y ahorrarás un total de por lo menos dos horas de tu tiempo valioso, porque la salida al cine con película y todo dura solamente un par de horas. Podrías incluso sacar media hora para ir a tomar un chocolate deshecho y todavía te quedaría tiempo libre. Si estás deseando encontrar su mirada por encima del humo de tu taza de chocolate caliente para comentar la película, conseguirás llevarla a sitios donde sólo el chocolate puede llevar a una mujer y te dejará libre durante un tiempo. ¿Ves como sí que funciona?

De vuelta a clase

Esperamos que no hayas creído que las sesiones de formación de padres habían finalizado. Desgraciadamente, este es un trabajo que nunca se termina. En este caso, vamos a enseñar a tus padres que pasar más tiempo contigo no es necesariamente mejor. En estos momentos tus padres quieren estar horas y horas contigo. Y por si fuera poco, creen estar en su derecho y que es su obligación hacerlo, especialmente ahora, que tú estás intentando alejarte de ellos. Están demasiado deseosos.

Tú puedes cambiar esta situación. Como ya hemos dicho, la clave está en ayudar a tus padres a que se den cuenta de qué es bueno para ellos. En este caso, tendrán que aprender que está bien pasar menos tiempo contigo siempre que éste sea tiempo de calidad. Pero primero, tú tendrás que enseñarles que siempre que te obliguen a pasar tiempo con ellos, ese tiempo no será tiempo de calidad. Una vez hayas logrado enseñarles esto, podrás presentarles nociones más sensibles de calidad y demostrarles que es mejor tener pequeñas cantidades de una buena cosa que muchas pero de peor calidad.

Si eres una adolescente normal, a los 14 años ya habrás tocado fondo sobre esta cuestión del tiempo que pasas con tus padres. Habrás aprendido a agotar la alegría de tus padres de estar contigo simplemente dejando de prestarles atención. Les duele que te alejes de ellos. Recuerdan con nostalgia aquellos momentos en los que te *alegrabas* de estar con ellos. Les *encantaba*. Lo *echan* de menos. Lo *necesitan*. Y quizás, como Diva de la Indiferencia, te mofes de ellos. ¿Te es familiar alguna de estas afirmaciones?

1. Te repanchigas en el sofá, con los brazos cruzados sobre tu pecho, y dejas que tu lenguaje corporal grite que no eres susceptible a ninguna de sus estúpidas ideas.

2. Les miras con una mirada sin expresión, la misma que pones en la clase de álgebra.

3. Giras los globos de los ojos tan rápidamente y tan a menudo que peligran.

4. Tienes una forma de hablar monótona.

5. Les miras de vez en cuando con una expresión confusa, como si pretendieras decirles que están hablando en un lenguaje totalmente diferente al tuyo.

6. Parece que te ofenda que hablen bien de ti (de tus buenas notas, de tu genio musical, etc.) como si el tener un talento remarcable no fuera con tu personalidad.

Si todo esto es lo que tú haces, tus padres ya saben lo que es «tiempo de pésima calidad» contigo. De hecho, ha llegado el momento de dar marcha atrás. Recuerda que el no ofrecerles nada de feedback o información significa que ellos se verán obligados a imaginar qué es lo que corre por tu mente. Empezarán a sospechar en exceso y a inventar escenarios ridículos. Por ejemplo, imagínate que sales al cine con un chico que hace tiempo que te gusta y cuando regresas no les explicas que la noche ha sido un desastre. Que le pescaste flirteando con la chica que vendía las palomitas. Tu madre pregunta, «¿Cómo fue tu salida al cine?», y tú contestas, «Bien». En ese instante empieza a preocuparse y a pensar, «¡Oh, cielos! Tuvieron relaciones sexuales y ahora ella está enfadada porque no le ha llamado». Prepárate para el discurso sobre el sexo.

¿Entiendes a dónde queremos llegar? Demasiado misterio es lo peor. La vida te irá mucho mejor si les dices cómo estás.

Aparta poco a poco a tus padres

Durante un tiempo podrás apartarte de ellos con una técnica denominada «evasión». Esto quiere decir que siempre tendrás que tener la excusa oportuna cuando te pidan que les acompañes a comer fuera. La planificación aquí es la esencia. Vigila porque ellos van a continuar sugiriéndote ideas de buenas a primeras pero no deberías dejarte atrapar. ¿Por qué? No estamos sugiriéndote que mientas a tus padres sobre lo que haces o adonde vas. Estamos simplemente recomendándote que siempre tengas planes reales para hacer algo y que estos planes aprueben el examen de «vale la pena» de tus padres.

No obstante, nunca deberías dejarles que se sintieran despreciados. Por muy poco atractiva que sea su sugerencia, deberías proteger siempre su orgullo. Están ofreciéndote un *regalo* –la oportunidad de pasar tiempo juntos. Aunque para ti sea una oferta horrorosa la de pasar media tarde en la ferretería buscando los clavos que tu padre quiere para su nuevo trabajo de bricolaje, en realidad es un regalo. ¿Por qué? Porque como no es algo que los padres de adolescentes tengan en abundancia, lo consideran algo muy valioso. Tendrías que estar contenta de que quieran pasar el poco tiempo de que disponen contigo. Así que no les menosprecies y vé con ellos.

Al apartar a tus padres de tu compañía, se harán más sensibles al insulto y analizarán más a fondo tus evasiones. Como resultado de ello, tú siempre tendrás que dar una excusa *superior*. Ya no conseguirás salir airosa con la típica excusa, «quería dar una vuelta con May». Les dolerá el que siempre prefieras la compañía de May que la suya, especialmente cuando ellos sólo tienen unas pocas horas libres.

Los deberes son sin duda la mejor excusa y por supuesto pueden cubrir cualquier oferta de una excursión de «tiempo de calidad». «Lo siento papá, no puedo. No puedes ni imaginarte la cantidad de deberes que tengo que hacer.» Siéntate frente al ordenador y no tendrá ni idea de si estás haciendo matemáticas o navegando por el ciberespacio, pero, sea como sea, seguro que se sentirá orgulloso de tener una hija experta en informática.

A ellos no les impresiona tu idea de tiempo bien empleado. Tú consideras que una tarde ha sido productiva si has estado tres horas hablando de tu último fracaso amoroso con una amiga. Si además has hecho algo de deberes es un extra. Por tanto, tu objetivo (seguir sin estructura) choca con el de ellos (sacar el máximo partido a las horas que pasan despiertos). Si no te das prisa , no sólo intentarán estructurar tu tiempo sino que lograrán meterse en él.

Dales esquinazo

¿Qué ocurriría si de repente te presentaran una oferta poco convincente? ¿Estás preparada para rechazarla con una sonrisa y mostrando seguridad? No vale tartamudear o dudar, «Ya te diré algo sobre eso», o te encontrarás atada en el asiento del coche gritando «¡No me hagáis ir!». Se trata de ser rápida, de ser táctica, de ser infalible.

La oferta. «Cariño, ¿podrías ayudarme esta tarde en el despacho? Tengo más de 200 informes para cotejar manualmente y encuadernar. Pediré unas pizzas para comer. ¡Lo pasaremos bien!»

¡Por favor!, ¿qué hay de divertido en pasar todo un sábado en un despacho vacío con tu madre? Nosotras podemos contarte todo sobre el trabajo de los esclavos porque nuestros padres nos obligaron a marcar género, a contar mercancías, a escribir informes a máquina, a archivar... Era horrible, créenos. No hay nada de divertido en tener las uñas rotas y cortes en las manos por culpa del papel, pero esto es lo que te va a ocurrir si no te das prisa en utilizar tu talento para la evasión.

El esquinazo. «Me encantaría mamá. Sería realmente divertido pero por desgracia ya me había comprometido a trabajar en el colmado de la esquina. Nos veremos por la noche por eso.»

Las excusas de amigos y amigas nunca triunfan. Tendrás que ser extremadamente inventiva para utilizar actividades relacionadas con el colegio. Los deportes o carreras de fin de semana son excusas excelentes, pero no te extrañes si ves a tus padres que también han ido para celebrar tu éxito en el campo de hockey o en la pista de baile. La otra excusa es por supuesto la del trabajo, pero lo más seguro es que conozcan tu horario mejor que tú.

¿Qué más puedes sacarte del sombrero? Bien, siéntate porque esto te va a sorprender. Te proponemos que aceptes algún trabajo de voluntariado. No te preocupes, no nos hemos vuelto locas. Para nada. ¿Algo humanitario? Sí, siempre que tú también te beneficies de ello. Sin duda tus padres y el colegio te habrán inculcado la idea de mejorar tu currículum con algún tipo de servicio a la sociedad. Esto está bien y es bueno. Estamos simplemente diciendo que para un padre no puede haber mejor excusa que el voluntariado. Si eliges una actividad que realmente te guste, estarás encantada de desempeñarla en lugar de estar peleándote con tu madre.

Tendrás que encontrar algo que sea flexible. ¿Qué te parecería sacar a pasear a los perros de la perrera municipal? Podrías hacerlo a cualquier hora. También está el centro para jóvenes con problemas. (No, tú no eres *problemática*, a pesar de lo que tus padres digan y por tanto podrías ofrecer consejo a otros chicos de tu edad.) Quizás *podrías* enseñar a algún niño a leer o a hacer algún deporte que te guste. Hay muchas oportunidades.

Ciertamente este tipo de servicio es un poco interesado, pero las mejores cosas en la vida pueden mejorarse sin dolor. Sí, beneficiarás a la humanidad. Sí, harás buenas acciones y crearás un currículum fabuloso. Sí, conocerás a personas nuevas e interesantes, muchas de ellas serán también jóvenes intentando escapar de sus padres el sábado por la tarde. Pero lo que es más importante, tus padres te verán como una Chica Bondadosa, una chica que entrega generosamente parte de su tiempo.

Introduce tiempo de calidad

Ahora que ya sabes como darles esquinazo a tus padres, no te preocuparás tanto de pasar tiempo con ellos. No, nunca te va a gustar ir detrás de tu padre en la ferretería. Pero ¿qué pasaría si fueras tú quien hicieras primero una oferta que fuera completamente posible? Seguramente tu padre esté tan necesitado de tiempo con su Chica Bondadosa que podrías proponerle correr una maratón padre-hija y te seguiría. ¿Por qué no le pides salir un día contigo, quizás una cena mano a mano? Utiliza esta oportunidad para lanzarle algunos de esos mensajes claves de los que hemos hablado anteriormente. Hazle saber en unas pocas palabras que estás bien y estás creciendo correctamente.

Expande tus horizontes

No hace falta que limites tus segmentos de tiempo de calidad a las comidas. Tus padres seguramente estén abiertos a una gran variedad de eventos. El cine es bastante fácil, ¿por qué no consideras algo más atrevido –una galería de arte o un museo? Sabemos que es una idea peligrosa, pero lo más probable es que no te encuentres con nadie conocido.

Estate preparada porque seguramente aprovecharán la ocasión para pedirte cuentas. Ya sabes lo atrasados que están en tus asuntos privados.

Una exposición temporal es el lugar adecuado para ir. «Mamá, podrías ir conmigo este fin de semana a ver la exposición de fotografía que hay en la galería de arte?» ¿Es esto muy espeluznante? Nadie va a venir a examinarte después de la visita. Incluso puede que te sientas tan a gusto que después quieras ir a visitar la exposición de Monet.

Podrías intentar la invitación del museo con tu padre. A él siempre le han interesado los eventos históricos un tanto aburridos, así que ¿por qué no intentas llevarle al museo? Una vez ahí, visita la exposición de dinosaurios y hazle alguna broma con los fósiles. Le encantará.

Y, ¿por qué realizar todo este esfuerzo cuando podrías estar tranquilamente en el cine viendo aquella película recién estrenada sobre algún desastre? Podrías inventarte alguna historia para contarle a tus amigos o al chico que más quieras impresionar. Por ejemplo, que tu madre ha dado un chillido horripilante en la exposición especial sobre arañas («¡creía que solamente había bichos muertos en esa exposición!»). Ésta es una historia que no podrías contar si hubieras pasado todo el día en una sala de cine a oscuras.

Seguramente te habrá ocurrido alguna vez, al igual que a nosotras nos ha ocurrido, que estando con gente no sepas de qué hablar –no se te ocurre nada informativo, divertido o interesante. Pues bien, las películas te llevarán a esa situación, acabarás sin saber qué contar. La gente interesante no es así. La gente interesante se interesa abriendo sus mentes a muchas cosas y absorbiéndolas como esponjas.

Esto no quiere decir que tengas que convertirte en una experta en cualquier materia. Repetimos: no hay examen. Simplemente quiere decir que tienes que intentar absorber, comprender y almacenar información para el futuro. Nadie espera –ni quiere– que recites la técnica y motivación de algún artista en su etapa de «locura». Basta con que vayas y observes su trabajo y pienses si te gusta o no. En arte, música o literatura, lo más importante es que te formes tu propia opinión. Pero con el tiempo verás cómo te sientes cada vez más segura e interesada en explorar el «porqué».

El tiempo que dediques a desarrollarte a ti misma, hagas lo que hagas, es siempre «tiempo de calidad». Bien puede ser haciendo deporte, leyendo, bailando o dibujando. Siempre que te haga sentir bien, eso que haces te está convirtiendo en una persona más segura e interesante. No queremos decir con ello que el tiempo que pases con tus amigos no sea tiempo de calidad. Lo es, pero es bueno que te esfuerces un poco de vez en cuando. Podrías expandir tus horizontes probando cosas nuevas. Abre tu mente y deja que entren ideas nuevas; te quedarás sorprendida al ver las conexiones que la materia gris de los jóvenes puede hacer con el material nuevo. Quizás no vuelvas a pensar en una pintura hasta al cabo de 10 años, pero tu recuerdo de ella sigue allí, almacenado en tu disco duro.

La mayoría de nosotros sabemos que nuestros conocimientos son limitados y por eso nos mostramos un tanto vergonzosos a la hora de compartir nuestras opiniones. ¿A quién le gustaría ser una de esas sabelotodo que cree saber más que nadie? Así es como puedes realmente sacar algo del «tiempo de calidad» que pasas con tus padres. Ganarás confianza explorando ideas nuevas e incluso discutiéndolas con ellos. Hay personas realmente mezquinas que se reirán de tu falta de conocimiento, pero tus padres no están entre ellas.

Tus padres están dispuestos a ayudarte a que intentes cosas nuevas, pero a lo mejor necesitan que les des la mano (¡no literalmente!) para que te acompañen en esas aventuras. Si vas con ellos ganarás seguridad. Tu madre tendrá una nueva historia que contarles a sus amigas el lunes por la mañana. Como mínimo, estas salidas les ayudan a relajarse. Y recuerda, cuando ellos están relajados, *tu* vida es más fácil.

Abandona el camino polvoriento

¿Qué pasa si tus padres pasan de ti cuando les mencionas la idea del arte moderno? O, quizás tú no seas una Chica Cultura. ¿Por qué no intentas pasar el tiempo de calidad al aire libre? ¿Por qué no improvisas una excursión? A lo mejor te llevan a ver las ballenas, a hacer rafting, excursionismo a pie, o camping. Incluso puede que conozcas a algún chico atractivo haciendo una de estas actividades.

Cuando Ana era joven, sus padres la llevaron a muchos viajes largos, atravesando continentes en una caravana. Había veces que el coche se les quedaba pequeño, eran tres personas y un perro realmente grande. Ana echaba de menos a sus amigos y a veces incluso deseaba enviar a sus padres a otra galaxia, pero también había momentos interesantes. Acabó enamorándose de las excursiones a pie y todavía hoy le siguen gustando. Cuando entró en la universidad decidió estudiar geología; fue para ella una carrera muy gratificante.

Quién sabe dónde te puede llevar el tiempo de calidad con la familia. Aprovecha ese tiempo buscando actividades que os diviertan y de las que todos podáis aprender. Hacer fotografías con la cámara vieja de tu padre durante las excursiones en familia te puede llevar al mundo fantástico de los largometrajes, como ha ocurrido con una de nosotras.

Fíjate bien y verás como siempre hay algo para ti en ese tiempo de calidad.

Gustar o no gustar

Noticia: Por mucho que quieras a tus padres (y sabes que les quieres) no siempre te gustarán. ¿Te gusta toda la gente que conoces? ¿Te gustan tus amigos en cada momento de su vida? Después de todo, son gente. Todos somos criaturas cambiables, y algunos de nuestros estados de ánimo son más atractivos que otros. No esperes que tu familia te guste siempre.

El mundo no se va a acabar porque algunos días no te guste tu padre. Imagínate que está persiguiendo a otro conductor porque le ha dado un toque en su deportivo. Al final acaban insultándose en medio de la calle, además de hacerse gestos amenazadores. Todo ocurre muy cerca de tu colegio y tus amigos lo ven. ¿Crees que van a despreciarte por ello? No. Incluso puede que ni siquiera desprecien a tu padre. Como él siempre ha sido amable con ellos y a ti nunca te ha levantado la mano acaban olvidándose del tema.

Durante tu adolescencia te será difícil separarte mental y emocionalmente de tus padres. De alguna manera sientes que eres una extensión de ellos y siempre te comparas con ellos. En cierto nivel, sabes que les amas, pero también sabes que a veces no te gustan –y todo ello crea un conflicto en tu mente. Pasarán muchos años hasta que puedas encogerte frente a una mala conducta de tus padres y te digas a ti misma, «Bueno, Papá es una persona y como tal comete errores. Esto no tiene porqué reflejarse en mi persona».

Seguramente has empezado ya a ver a la gente como individuos completos con todos sus defectos y virtudes. En los próximos años, aprenderás a formular cuestiones y a considerar detalladamente el comportamiento para así poder dibujar una imagen de la persona en conjunto. Empezarás reconociendo que la gente tiene sus propios asuntos y éstos son los que hacen que a tus padres les gusten o no determinadas personas –o a ti. Verás también que a veces las personalidades chocan y entonces puede haber disconformidades, desagrados, o incluso la falta de respeto. Todo esto puede llegar a ocurrir dentro de las familias, aunque no es demasiado frecuente. Seguramente compartirás muchas de las opiniones, valores, e intereses de tu familia y la defenderás contra el mundo.

En general, nadie recordará tan bien como tú los comportamientos desconcertantes de tus padres. Aquello que destaca en tu memoria como un grave momento de humillación puede que no cause ninguna emoción en las vidas de los demás. Mira a los padres de tus amigos: ¿no parecen del todo locos en algunos momentos? ¿Examinas sus explosiones vergonzosas y piensas, «¡Guau! Los padres de Mimi son unos fracasados. Esto quiere decir que ella también tiene genes de fracasada?». Por supuesto que no lo haces. Seguramente a ti te divierte que a la madre de Mimi le guste ponerse una cubierta para tetera en la cabeza y haga ver que está sirviendo el té. Pero Mimi se está muriendo de vergüenza e intenta llevarte hacia su habitación.

¿Ves lo que queremos decir?. Somos mucho más indulgentes con las rarezas de otra gente que con las de nuestros propios padres. En tu mente, nadie es tan malo como tu madre o tu padre. Pero nadie es tan crítico con ellos como lo eres tú. La gente suele estancarse en sus fascinantes vidas y no piensan en la tuya tanto como te imaginas.

Aquí tienes algo para recordar. Si tus padres te han estado importunando últimamente más de lo normal, revisa tu conducta reciente. ¿Has sido más descuidada de lo normal? ¿Te has agachado y has retrocedido cuando tu madre te ha intentado besar esta mañana? ¿Has ayudado en casa? ¿Han tenido que utilizar los adjetivos *descarada, atrevida, impertinente* o *maleducada* últimamente? Si es así, parece que has estado siendo un poco tacaña con esas recompensas de las que te hemos hablado. Ponte manos a la obra ahora mismo y haz algo bueno sin pedir nada a cambio.

Cuando todo lo demás falla

Aquí tienes una última opción para conseguir tiempo de calidad: escúchales bien. No hace falta que recojas todas y cada una de las palabras, de todas formas te sorprenderás al ver todo lo que son capaces de decir. Quizás no comprendas el porqué de esta advertencia pero haznos caso.

El mejor momento para explorar esta posibilidad es cuando les invites a la «trufa» –ese segmento de tiempo de calidad pequeño pero potente. Todos estarán de buen humor. Ellos estarán contentos porque tú les has invitado a salir y tú estarás encantada de controlar la situación. Extráelos de su entorno doméstico. Una cena fuera de casa siempre tiene su encanto, así que utilízala siempre que puedas. Cuando les estés mirando por encima de un plato de pizza gigante, deja correr tu imaginación; imagina que son dos desconocidos que se han sentado en tu mesa, dos extraños generosos dispuestos a pagar tu cena.

Entrevístales para practicar tus habilidades conversacionales, las cuales te serán muy útiles en otras situaciones. A mucha gente le gusta hablar de su vida, y tus padres seguramente no son la excepción. Pregúntales cómo se conocieron. Pregúntales cómo se conocieron sus padres. Éstas podrían ser historias de amor maravillosas. ¿Qué objetivos tenían a tu edad? ¿Cómo llegaron a decidir sus carreras? ¿Les gusta su trabajo? ¿Hicieron algo de jóvenes que hiciera enfadar a sus padres? Cuando ya hayan entrado de lleno en la entrevista, empieza a incriminarles. ¿Se emborracharon alguna vez cuando iban a la universidad? ¿Probaron las drogas alguna vez? ¿Se escaparon alguna vez de casa para ir a alguna fiesta a la que no les dejaban ir? A lo mejor más tarde podrás utilizar algo de lo que te digan en contra de ellos.

Recuerda que su historia es tu historia y que es importante que la conozcas porque para saber adónde vas tienes que saber primero de dónde vienes. Compartir la historia es una tradición humana muy poderosa y que ha ido pasando de generación en generación. Puede que ahora pienses que no tiene nada de especial pero llegará un momento en que estarás encantada de saber qué tipo de gente te precedió. Tus padres, hermanos o hermanas comparten un lazo muy estrecho contigo. Ellos comprenderán mejor que nadie tu experiencia de hacerte adulta. Ellos viven sus vidas a tu lado y comparten sus experiencias y las tuyas que a fin de cuentas son las que modelan la persona en la que vas a convertirte. Todos los detalles del día a día de vuestras vidas os van vinculando de una manera que tú no puedes comprender totalmente.

Probablemente hayas visto ya alguna evidencia de esta unión. ¿Qué pasa si alguien dice algo malo de tu hermano? Seguramente sentirás cierta ira, la intensidad de la cual te sorprenderá dado que estás constantemente proclamando que le desprecias. ¿Qué pasa si tu padre hace ruido al masticar y tu madre no deja de mirarle con mala cara? Es divertido cuando tú y hermano discutís sobre ello pero si es un «extraño» quien le critica, te pondrás como una fiera. A esto se le llama instinto. No sabes porqué pero tienes la necesidad de proteger tu vínculo familiar. Ni siquiera tus amigos más íntimos pueden romper ese vínculo.

«La sangre es más densa que el agua.» Durante toda tu vida harás más y perdonarás más a un miembro de tu familia que a un amigo. Es así como funciona. Igual de importante es saber que siempre podrás contar con ellos en los momentos difíciles, cosa que no siempre ocurre con los amigos. Hay miles de años de genética detrás de su comportamiento, así que ¿quiénes somos nosotros para dudar de ello? Además, ¿no es maravilloso saber que siempre hay gente que te apoyará en los momentos peores de tu vida?

Llegará un día en un futuro no muy lejano en el que te sorprenderá ver que estás haciendo cosas de la misma manera que las hacen tus padres. A lo mejor un día te miras en un escaparate y te das cuenta de que tienes el mismo modo de andar de jirafa que tiene tu madre, o la misma manera de fruncir las cejas que tiene tu padre. Cuando esto ocurra, oirás en tu cabeza una grito de guerra: «¡Oh, cielos! ¡Ya soy como ellos!»

Y será verdad. Esto es el círculo de la vida en todo su esplendor.

18

El amor y los padres solteros

Hace muchos años en un lugar muy apartado del campo y de sus incomodidades vivía una preciosa y lista princesita llamada Cindy Ella. Vivía en un desván muy elegante en el centro de la ciudad con su pesada hermana y sus padres. Cindy Ella tenía su propia habitación, con un ordenador y un armario lleno de bonitos vestidos. Aunque sus padres la volvían loca, Cindy Ella quería mucho a su familia. Dormía profundamente por las noches sabiendo que su vida seguiría siendo igual de cómoda cuando se despertara.

Pero ocurrió que un día fatídico cuando regresó a su casa de la casa de campo que tenía su abuela, se encontró con sus padres que la estaban esperando. «Tenemos malas noticias, Ricitos de Oro», le dijeron, utilizando el diminutivo que le habían puesto ya que tenía el pelo rubio. Entonces le contaron a sus queridas hijas que iban a separarse. «Hace mucho tiempo que nuestro matrimonio no funciona», dijeron, «ahora ya no podemos aguantar esta situación y no podemos seguir viviendo así». Y aunque las niñas lloraron y resollaron, sus padres derribaron su pequeño paraíso de felicidad...

Si tus padres todavía siguen felizmente juntos, no sabes la suerte que tienes. Tendrás una cosa menos de la que preocuparte durante tus años de adolescente: tus padres no tendrán que buscar pareja. Haznos caso, esto de tener que salir a buscar novio es algo peligroso cuando quien lo hace es uno de los padres. Imagínate a tu madre cogida de la mano de alguien que tú no conoces. Deja pasar unos cuantos días e imagínate a ese hombre saliendo de la habitación de tu madre pronto por la mañana llevando su bata de flores. Primero viene la conversación durante el desayuno, después empieza a venir también a cenar y al final ya se da por sentado que ese hombre pasará en tu casa todo el fin de semana. ¿Se ha preocupado tu madre de *averiguar* si a ti te gusta ese hombre? ¡Seguramente sí lo ha hecho! Y, si no te gusta, ¿cambiará sus planes de continuar con él? Probablemente no.

Es realmente molesto, pero los padres normalmente anteponen sus necesidades amorosas a la felicidad a corto plazo de sus hijos. Creen que toda la familia está interesada en convertirse en una familia feliz «reconstituida». ¿Puedes realmente culparles por ello? ¿Prometerías estar a su lado en la salud y en la enfermedad todos los días de su vida? Quizás tu padre prefiera despertarse por la mañana y ver a alguien que esté total y permanentemente dedicado a él.

A lo mejor a ti no te gustan las personas con las que salen tus padres. Además, cuando el nuevo amor llega con una familia completa propia, las cosas se complican aún más. Lo peor es que tú no tienes ningún control sobre todo esto.

«Hecha polvo»

Decir que vivir la ruptura del matrimonio de los padres es duro es una modestia excesiva. De hecho es como si alguien arrebatara las piezas de tu mundo familiar y las echara a una licuadora. Después de licuarlas a máxima velocidad durante tres minutos obtendría una nueva vida totalmente hecha puré la cual te sería devuelta. Durante un tiempo (y generalmente un largo periodo de tiempo), toda la comodidad y seguridad se desvanece. ¿Dónde está esa previsibilidad aburrida de la que solías quejarte? ¿Dónde está el orden? ¿Dónde está tu madre o tu padre? Ya, ahora tienes que vivir en dos casas. Esto es justo lo que necesitas, doblar tus problemas: dos habitaciones que limpiar, dos juegos de normas, y dos padres separados funcionando con la ferocidad de cuatro. ¡Menudo picnic!

Por si fuera poco, ellos están tan desconcertados como tú por culpa de estos cambios. Creen que ellos son los culpables de que el castillo de naipes se haya destruido. De repente, tus padres, esas personas que normalmente eran fuertes y resistentes, empiezan a sentirse inseguros. Después de muchos años, empiezan a enfrentarse a solas al mundo y esta vez, están enfrentándose con la responsabilidad añadida de los hijos. Éste es uno de esos momentos incómodos en los que vas a tener que ver a tu madre y a tu padre como individuos con los mismos temores y esperanzas que tú tienes.

Tenerte que enfrentar a una situación tan difícil como ésta a tu edad temprana es algo que realmente duele. A lo mejor pienses que todos tus problemas se resolverían si tus padres se juntaran de nuevo, pero normalmente éste no es el caso. Lo mejor que puedes hacer ahora mismo es esforzarte por aceptar la realidad de una situación fatal. Podrías volverte loca intentando cambiar algo que no puedes controlar. Intenta no malgastar tiempo ni energía pensando quién tiene la culpa o deseando que las cosas fueran diferentes, porque no tienes ningún poder para hacerlas cambiar. Y, además tampoco es tu culpa. Sabemos que ya lo sabes, pero de todas formas queríamos decírtelo. Tú *no* eres responsable de lo que ocurra en la relación de tus padres. Por muy mal que te hayas portado últimamente: NO ES CULPA TUYA.

Cualquier tipo de relación –con tus amigas, con los chicos, con tu familia– es delicada. Siempre que en una ecuación haya más de una persona, tú ya no tendrás el control total de la situación. No podrás dictar cómo tiene que desarrollarse esa relación o cuándo tiene que terminarse. Cada relación tiene vida propia y la relación que tú tienes con tus padres como pareja no es una excepción. Cuanta más gente está involucrada, más imprevisible es la relación. Esta imprevisibilidad es excitante en las relaciones amistosas o amorosas, pero no en las relaciones familiares.

Vale la pena mencionar que la terminación de una relación no es necesariamente la muerte. Algunas veces, y especialmente cuando las dos partes involucradas no son felices, después de la ruptura se produce un renacimiento. ¿Es éste fácil? Pregúntale a tu madre sobre el parto: es una experiencia tremendamente dolorosa con una recompensa fabulosa. En este caso, serás testigo del renacimiento de tus relaciones con tus padres, y si los dos se esfuerzan por ello, las recompensas serán maravillosas. Seguro que será diferente, pero esto no quiere decir que sea malo. Puede que acabes conociendo a tus padres por separado, individualmente, de una manera que nunca hubieras conseguido de haber seguido juntos, y que gracias a ello consigas crecer más cerca de ellos.

A veces, por mucho que la gente se esfuerce, las relaciones se terminan. No puedes dejar que esta posibilidad te impida desarrollar otras nuevas ya que las relaciones son las que dan sentido a la vida. Incluso puede que desarrolles alguna magnífica relación con la nueva pareja de tu padre o madre. Por raro que te parezca, suele suceder más de lo que crees. Recuerda que tienes un papel que jugar en la creación de relaciones en tu vida. Éstas no «suceden porque sí». Todo lo que tú pongas en una relación te será devuelto en grandes cantidades. Así pues, ¡considera detalladamente tu contribución!

Y la vida sigue

Por muy hundidos en la tristeza que estén los padres en el momento de la separación, la mayoría de ellos decide seguir avanzando en sus vidas y esto quiere decir buscar una nueva pareja. No es fácil encontrar una pareja, y aún menos para la gente recién divorciada cuyas experiencias previas han sido un fracaso. Ahí estás tú, necesitada de consejo sobre asuntos del corazón, y ahí están ellos, empezando una vuelta nueva. De repente su consejo deja de ser valioso, porque ellos mismos empiezan a enfrentarse a las normas que rigen la búsqueda de pareja. Y aún peor, puede que te encuentres a ti misma dándoles consejo *a ellos* sobre los detalles de este tema en el nuevo milenio. Bueno, no sería la primera vez que te aconsejamos que te enfrentes con el cambio de papeles, y ¡probablemente no será la última!

Dediquemos unos minutos a considerar qué es lo que les ocurre a los padres recién divorciados. Básicamente, han estado acumulando polvo durante años y sacando poco provecho de sus hormonas. De repente, la naturaleza llama de nuevo. Es un *despertar*. Las sustancias que han estado sumidas en un profundo sueño, empiezan a sacudir y a transformar a la persona en cuestión en alguien apenas reconocible. Lo que ocurre a continuación es terrible para todos los que están implicados. Es algo así como bajar una carretera de curvas conduciendo un coche marcha atrás y sin luces. Nosotras lo denominamos Descenso en la Oscuridad y en el pie de la montaña está el espeluznante país de los Jóvenes que han vuelto a nacer. Tú estás en la misma carretera, dispuesta a luchar por el control de tu vida, mientras que tus padres van gritando –totalmente fuera de control– que van a ocurrir accidentes de verdad. Están en verdadero peligro porque sus cuerpos ya no tienen fuerzas para resistir los rigores de una fuerte corriente hormonal. ¡Se descomponen! Únicamente los sistemas de los jóvenes están determinados para soportar hormonas no refinadas. Los sistemas delicados de tus padres funcionan mejor con supercarburantes, y por tanto cuando una corriente turbia de hormonas empieza a circular por su corriente sanguínea, sus cuerpos pronto colisionan con el peligroso abandono.

Así pues, ¿cómo sabrás si el adulto que se ha quedado en casa es un Joven que ha vuelto a nacer? Hay varias señales de aviso:

❀ Tu padre cambia sus viejas gafas por lentes de contacto color turquesa.

❀ Tu madre, que desde hace años llevaba el pelo largo, de repente llega un día con el pelo corto y rubio.

❀ Tu madre se queda absorta mirando una estúpida flor que alguien le regaló en una cita como si fuera el valor simbólico de una rosa en un soneto de Shakespeare.

❀ Tu padre que va en coche a todas partes (incluso al buzón), empieza a despertarse pronto por la mañana para ir a hacer *jogging*.

❀ Ambos padres preguntan, «¿Se me ve gorda/o con esto?», más de una vez al día.

❀ Tu madre empieza a preguntarte, «¿Crees que me llamará?» Y, cuando la llama, ella utiliza «esa voz» –ya sabes, esa que todas utilizamos cuando *él* nos llama.

Lo más probable es que estén yendo a tientas en la oscuridad y estén petrificados por la situación en general. La influencia de las hormonas les ayudará a disimularlo, pero créenos, les preocupa que su equipo no funcione después de tantos años sin utilizarlo. Puedes compadecerte de ellos pero no permitas que te conviertan en su amigo y confidente. Nunca olvides que una madre es una madre, y no una amiga. De verdad, puedes ofrecerle tu ayuda diciéndole «Estoy segura de que llamará, mamá», o lo típico, «Él se lo pierde». Después de todo, ésta es una etapa de vulnerabilidad exquisitamente dolorosa en la vida de cualquiera, tanto si es la primera o la segunda vez que se pasa por ella.

El sabotaje

Tanto tus padres como sus nuevas parejas van a buscar desesperadamente tu aprobación. Si aceptas el nuevo amor, sus vidas serán mucho más fáciles. En otras palabras, tú tienes el poder para hacer que esta situación sea infernal para todos los implicados. Muchos jóvenes han utilizado la inseguridad de sus padres para fines desastrosos. Lo único que se necesita para hacer estallar una relación son unos pocos comentarios oportunos.

Podrías por ejemplo observar su comportamiento de novios atentamente y buscar las discrepancias que hay entre la manera en que quieren que tú actúes y la manera en que actúan ellos. Si tu madre ha estado importunándote últimamente por la cantidad de maquillaje que te pones, probablemente le guste saber cuando está a punto de salir a su primera cita, que no ha conseguido ese *look* natural que le gustaría. «¿Mamá, qué te has puesto en los ojos que en lugar de pestañas parecen arañas anidando en las cuencas de tus ojos?» Y, no te prohibió tu padre que salieras con chicos mayores que tú, «Los chicos mayores sólo tienen una cosa en la mente», te dijo. Asegúrate de preguntarle qué tiene en la mente cuando vaya a salir con esa chica de 25 años con la que ha quedado.

Mejor aún, podrías entrevistar a sus «parejas» cuando te las presenten:

- ✻ Pregúntales sobre sus anteriores matrimonios y el número de novios o novias.

- ✻ Pregúntales sobre sus antecedentes penales o encarcelaciones.

- ✻ Pregúntale a un hombre cuántas flexiones es capaz de hacer, después dile que tu padre supera de largo esa cifra.

- ✻ Pregúntale a un hombre cuánto mide; después dile, «los hombres siempre mienten acerca de su altura».

- ✻ Pregúntale a una mujer cuánto pesa; después dile, «las mujeres siempre mienten acerca de su peso».

O, ¿qué te parecería llevar a tu padre o a tu madre al borde del desespero por culpa de hundir a su nuevo amor?:

- ❀ Podrías evitar mirar a su nuevo amor a los ojos y utilizar expresamente un nombre equivocado («¡Oh, perdón!, Karen era la rubia...»).

- ❀ Cuando telefonee la nueva amiga de tu padre, dile que tu padre está con su «grupo» y deja que piense que a lo mejor sea un nuevo tipo de «hombres corriendo con lobos». Deja que él le explique su vida salvaje.

- ❀ Si tu madre ha ido a depilarse cuando su amigo le telefonea, sé honesta. ¿Es culpa tuya el que ella sea peluda?

- ❀ Cuando cocine la nueva novia de tu padre, comenta, «Mi madre no lo hace así».

- ❀ Cuando el nuevo amigo de tu madre entre en la habitación, deja de hablar para que así crea que estabais hablando de él. Cuando se vaya de la habitación, *ríete*.

- ❀ Pon cara de sorprendida cuando la nueva amiga de tu padre te diga algo como si fuera la cosa más extraña que jamás hayas escuchado.

No hace falta que te demos más ideas... ya sabemos lo creativa que puedes llegar a ser en estas situaciones. No hay duda de que estas proezas te darán unos momentos de satisfacción endiablada, pero recuerda que no te harán sentir bien durante mucho tiempo. Después de todo, tus padres son ya muy miserables sin tu «ayuda». Te sorprenderá ver que te sientes un poco avergonzada después de haber cortado todos los intentos del nuevo amor para ganar tu aprobación.

Pero, si no es culpa de tus padres, ni tuya, ni del nuevo amor, ¿quién demonios va a pagar por todo este sufrimiento? Todos. Es un asunto de todos. Cuanto antes aceptes este hecho, más fácil será tu transición a tu nueva vida. Esto no quiere decir que tengas que tragarte todo tu enfado y resentimiento —esto ni es sano ni conseguirás engañar a nadie. Esfuérzate por contar honestamente a la gente lo que sientes, y confía en algún otro miembro de la familia o en algún amigo en el caso de que no puedas hablar con tus padres. No intentes ser demasiado desagradable con los recién llegados, no sea que tengan que salir gritando de tu casa. Lo único que conseguirías con ello es estar mal contigo misma, y ¡esto no es bueno!

Además, si intentas ser un poco más agradable en estas situaciones seguramente conseguirás buenas recompensas. ¡Continúa leyendo!

Nuevo y brillante

Cuando las relaciones son nuevas y todavía están envueltas en el papel de regalo, consiguen sacar a la gente fuera de sus vidas ordinarias y llevarla al País del Cariño. Allí las cosas tienen un brillo especial y existen unas normas no escritas que todos siguen al pie de la letra:

- ✽ Nadie lleva ropa interior gastada ni con agujeros.
- ✽ Las comidas suelen hacerse en restaurantes de moda.
- ✽ Tu madre se levanta de la cama con el maquillaje intacto y el pelo perfectamente cepillado.
- ✽ La vena de ahorrar de tu padre desaparece.
- ✽ La casa está perfectamente limpia y huele a galletas recién horneadas.
- ✽ Todo el mundo es bueno.

Durante las primeras etapas de esa nueva relación, la comida siempre será buena. Comeréis todos fuera más a menudo, porque los restaurantes son un «terreno neutral». En otras palabras, ellos creen que tú serás más agradable fuera de tu propio territorio. Y, tú evidentemente lo serías si quisieran explorar los nuevos cafés de moda de tu barrio. Y, si *realmente* quieres ser agradable, la cosa no acaba aquí. Podrías conseguir algunas comidas en restaurantes realmente caros, siendo una compañía grata. ¿Por qué no aprovechas a refinar tu paladar cuando tu padre esté entusiasmado con su nueva pareja o aprovechándote de ese hombre que intenta impresionar a tu madre? Declara abierta la estación de las langostas y no te olvides de pedir el mejor postre de la carta. Te lo mereces por soportar la situación con una sonrisa.

Lo más probable es que otras presas se crucen en tu camino. Todas intentarán ganar ese premio: una sonrisa de una joven tirante. Pon tus condiciones cuanto antes, porque lo más seguro es que esta juerga de gasto desenfrenado no dure mucho. En cuanto tus padres crean que están ahí con su nuevo amor, no dudarán en decirle al camarero que sólo te traigan un «perrito caliente». Y desgraciadamente, cuando declaren que eso es amor, te encontrarás de nuevo en casa comiendo una lata de atún acompañada únicamente de ese «nuevo amor». Y cuando ese hombre tenga un agujero en el calcetín y tu madre tenga las piernas peludas otra vez, ¡empezarán los problemas!

Llueven monstruos y bichos raros

La princesa Cindy Ella y su pesada hermana no podían creer su desesperante situación. «Jack y Jill están arriba de la montaña, así pues, ¿qué sentido tiene toda esta locura?, se preguntaron mutuamente. Pero de repente la Reina se despertó de su largo sueño y empezó a recibir a la larga sucesión de emperadores en sus trajes nuevos que venían a hacerle la corte. Las dos hermanas se quedaron en casa comiendo requesón y bebiendo capuccinos descafeinados con leche desnatada mientras que su madre se iba al baile. Se mofarían de todos los pretendientes de la Reina —de los siete pretendientes: del que huele mal, del zalamero, del fofo, del cobista, del miedoso, del estúpido, y del rastrero. A las hermanas siempre les había maravillado la cantidad de hombres que su madre podía atraer a pesar de tener ya el pelo blanco. Y, ¿cuál era el secreto del Rey? Hablando de «alternar con cualquiera» —él salió con 101 matronas torpes el año pasado...

¿Qué pasa si no te gusta la gente con la que salen tus padres? Lo más probable es que no te guste —por lo menos al principio. Puede que incluso no les des ni una oportunidad, porque temes que estén intentando apoderarse del lugar que tu madre o tu padre ocupaban en la mesa. O lo que es peor, que están intentando apoderarse del lugar que *tú* ocupas en el corazón de tus padres. Evidentemente esto último nunca ocurrirá. Por mucho que ese viejo corazón se enamore de un amor recién descubierto, tu lugar está siempre a salvo.

Recuerda que tus padres sólo están enfermos temporalmente por sus nuevos amores. Piensa en cómo tú te volviste completamente majareta por algún chico. ¿Quería eso decir que no ibas a necesitar nunca más a tus amigos o a tu familia? Nada de eso. Por mucho que al principio, cuando él era lo único en lo que podías pensar, les ignoraras, al final creciste más segura y las cosas se equilibraron. Lo mismo ocurre en las relaciones nuevas que tu padre o madre hacen. Al final todo vuelve a la «normalidad». Incluso aunque la persona nueva siga en escena, tu padre o madre acabarán siendo esa persona que tú amabas y conocías.

Te advierto que no es demasiado prudente que los padres recién divorciados y en proceso de recuperación se tomen unas mini vacaciones. A este territorio peligroso nosotras lo denominamos la Zona de Rebote. Si cometen el error de volver al juego demasiado pronto, *boom* –caerán en la Zona, y entonces cometerán errores en su selección de citas. Podrán llegar a reconocer que estás saliendo con personas bobas. Pero si tienen aspecto de bobos y huelen a bobos, probablemente lo sean, y al final ellos mismos se darán cuenta de ello. Es mejor que no les digas nada porque de lo contrario dejarán de oler y se esmerarán más en mantener al bobo cerca de ellos. Además, ganarás un montón de puntos por la restricción cuando ellos mismos se den cuenta. Así pues relájate lo mejor que sepas y déjales que hagan sus propios descubrimientos. Recuerda que tú quieres tener el mismo privilegio a la hora de tomar decisiones sobre tus citas, ¿no?

Salva tu futuro

Lo más probable es que tus padres tengan relaciones con gente boba, que se relacionen con gente completamente normal. Existe gran cantidad de buenas razones de porqué tú deberías conformarte con ella. En primer lugar, tus padres se sienten muy solos y tienen miedo de quedarse solos para siempre. Por raro que parezca, incluso los padres necesitan un poco de amor. Y tú no eres la sustituta para mirar ese rostro arrugado en su próximo balancín.

Además, tú no vas a continuar viviendo siempre en casa. Y lo creas o no, estés donde estés, te vas a preocupar por ellos. ¿No te gustaría poder seguir haciendo tu vida sabiendo que ellos no están solos en casa? Al final, y por tu propio bien, lo mejor será que considres de nuevo la posibilidad de darles una oportunidad a los nuevos amantes. Y, si acaban juntos, ya no tendrás que soportar más sus salidas con uno y con otro.

Ahí estás tú, revoloteando por tu apartamento, cocinando una cena tremendamente seductora para tu nuevo amor de la universidad. Has conseguido deshacerte de tu compañera de habitación. Has iluminado la sala con unas pocas velas, has puesto tu música preferida, y estás preciosa con tu nuevo vestido. Llaman a la puerta. Tú corazón empieza a palpitar. Abres la puerta y ahí está él, tremendamente sexy mirándote desde el porche cuando de repente... ¡CIELOS! Tu madre llega a casa con un plato de comida preparada y un video bajo el brazo. «Hola, cariño. Acabo de comprar unas albóndigas deliciosas pero no puedo comérmelas todas yo sola, así que he pensado en compartirlas contigo. Podríamos comérnoslas mirando un video...» De pronto lo ve a él. «¡Oh! Veo que estás con un amigo. ¡Hola!» Se abre paso entre vosotros dos, se mete en casa y empieza a encender las luces. «Hay muy poca luz aquí, te vas a estropear la vista, cariño.» Evidentemente no puedes echar a tu madre de casa, tu amigo pensaría que eres demasiado despiadada si lo hicieras. Así que añades otro servicio en la mesa.

¿Es así como te gustaría terminar? ¿Rodeada siempre de tu madre o de tu padre durante los mejores años de tu vida? No. Y, un padre o una madre que está feliz de compartir su tiempo con una persona amada, nunca se sentirá solo y por tanto no tendrá que ir a buscar consuelo en su hija independiente, o telefonearla constantemente para contarle tonterías.

Un cambio de ritmo

En pocos años las cosas cambiaron mucho en las vidas de nuestras princesas. Ahora pasan la mitad de su tiempo viviendo en el elegante desván con su madre y con Dopey, el novio de ella, —quién al final resultó no ser tan príncipe como aparentaba ser. En la misma casa vive también el hijo gandul de Dopey, Sleepy. Cindy Ella tiene que compartir su habitación con su hermana, porque ha tenido que cederle la suya a ese gandul.

Su padre también ha rehecho su vida con otra mujer, así que las chicas pasan el resto de su tiempo con el «Papá y la Vagabunda» —y sus dos desagradables hijas. La casa de su padre está siempre desordenada, y cuando Cindy

Ella está allí su endemoniada madrastra está constantemente machacándola para que la limpie y ordene. Las dos horribles hermanastras no colaboran jamás y están siempre cotilleando el armario de Cindy Ella. El otro día las cogió intentando meter sus gordos y asquerosos pies en sus zapatillas recién compradas...

Si tus padres encuentran de nuevo el amor, puede que tú encuentres la «familia licuada». Quizás pronto te encuentres viviendo con tus hermanos, tu madre o padre, y su nueva pareja. Puede que además esa nueva pareja tenga hijos propios –una situación que puede llegar a ser una incomodidad auténtica por el hecho de ser una familia demasiado extendida.

Si tú eres la que te trasladas a una casa nueva, te sentirás como si estuvieras en territorio extraño y si los extraños son los que se trasladan a vivir a tu casa, sentirás como si estuvieran invadiendo totalmente tu privacidad. Sea como sea, tendréis que acostumbraros los unos a los otros, pero no serás tú quien ponga los medios para conseguirlo sino que tus padres intentarán a toda costa que haya paz y felicidad en casa de una manera tan inusualmente entusiasta que el resultado podrá ser desastroso. De hecho, no hay nada más poco estimulante que un padre intentando forzar tu cariño. «Cariño, da las gracias a Carol. ¿No crees que es una cocinera maravillosa?» O, «¿No te consideras afortunada por poder compartir tu habitación con alguien mayor que tú?. Seguro que aprenderás un montón de cosas gracias a Lisa». (Seguro que sí, como por ejemplo cómo planificar el asesinato perfecto.)

Por mucho que nos riamos de estas situaciones, sabemos que estos cambios pueden llegar a ser realmente estresantes en tu vida. Tendrás que estar constantemente repitiéndote a ti misma que la cosa va a mejorar –y ojalá sea antes de lo que tú crees. Pero si te sientes realmente deprimida por culpa de tu situación, no te quedes ahí parada esperando que tus preocupaciones desaparezcan. Busca a alguien con quien comentar tus problemas. Podrías empezar por el consejero de tu colegio. Lo único que tienes que decirle es que estás pasando un mal momento intentando ajustarte a los cambios de tu vida doméstica y que necesitas ayuda. Un psicólogo podría darte algunos consejos para tratar eficazmente tus problemas –no hace falta que tus padres sepan que estás recibiendo ayuda externa.

Consuélate pensando en que las cosas nunca volverán a ser tan difíciles como ahora. Y recuerda que los humanos somos especies flexibles que podemos adaptarnos a casi cualquier situación. Un día, probablemente te sorprendas al ver que sin apenas haberte dado cuenta esta horrible gente extraña se ha convertido en tu familia.

... Un día la princesa Cindy Ella estaba intentando sacar brillo a una vieja lámpara que su padre había comprado en un mercado de antigüedades. De repente en medio de una humareda apareció un genio y le concedió tres deseos. «Aquí está mi oportunidad de volver a mi antigua vida», pensó ella.

«Me gustaría que mis padres volvieran a juntarse», dijo y —¡Poof!— una extraña figura apareció delante de ella. «Yo soy el fantasma del pasado de tu familia», dijo, y Cindy se dio cuenta de que esa figura se parecía enormemente al abogado de su madre que llevó el divorcio. El fantasma la trasladó al pasado y la princesa se quedó sorprendida al ver que las cosas no eran tan bonitas como ella las recordaba. De hecho, sus padres parecían tristes y enfadados.

Entonces la princesa pidió al genio su segundo deseo: «Me gustaría que mis padres por lo menos se apartaran de esa terrible gente nueva que han metido en sus vidas —y poof!— otra figura apareció. «Yo soy el fantasma del futuro de tu familia», dijo, y Cindy pensó que éste se parecía más a ella misma, pero un poco más mayor y cansada. El fantasma trasladó a Cindy Ella al futuro donde sus padres vivían solos en dos pequeños apartamentos. Pero, espera, ¡alguien está llamando a su puerta! «Eres tú», le dijo el fantasma. «Pasas todos los sábados jugando a cartas con tu padre y los domingos en el bingo con tu madre.» Cindy Ella estaba tremendamente preocupada: «Pero, ¿y mi vida?». «¿Tu vida?», rió el fantasma. «Tú ya no tienes vida propia.»

La princesa rápidamente pidió su tercer deseo: «Quiero volver a ser joven y feliz», y —poof!— se encontró de nuevo en el presente rodeada de sus padres y sus esposos y sus hijos. Hoy es el cumpleaños de la princesa y de repente se da cuenta de lo mucho que su familia ha hecho para que sea un día especial. Incluso sus horrorosas hermanastras le han preparado un pastel. Pero lo que más le sorprende es ver lo felices que están sus padres en sus nuevas vidas. «Piénsate un deseo», gritan todos al poner el pastel delante de ella. «De ninguna manera», contesta la princesa. «No hay ningún lugar como tu propia casa.»

Y vivieron felices por siempre.

Cuarta parte

Tú eres la mejor

19

Aprende a replicar

Hemos dedicado mucho tiempo a hablar de los actores secundarios de tu vida –tus padres, tus amigas y los chicos– y es tiempo de cambiar los focos y dirigirlos hacia la estrella del espectáculo –¡tú! Sabemos que a lo mejor has estado luchando por dar sentido a todo este caos que te rodea últimamente. Desde que llegaste a la pubertad quizás hayas tenido momentos en los que te has sentido poseída por unos pequeños y odiosos demonios que te han estado obligando a seguir unos impulsos conflictivos. Nuestro objetivo en los siguientes capítulos es ofrecerte algunos consejos sobre cómo tomarte a bien los desafíos que se te presenten en tu vida. ¡Seamos realistas!; tú cuerpo va a cambiar tanto si te gusta como si no, así que lo mejor que puedes hacer es extender un poco tu mente para estar a la altura de las circunstancias. Además, así les dejarás más espacio a esos demonios para que vayan adormeciéndose en ella.

Una de las claves para extender tu mente es la comunicación –tanto contigo misma como con los demás. Si aprendes a hablar contigo misma de tal manera que silencies a tus demonios internos, serás capaz de olvidarte de tus debilidades y concentrarte más en tus puntos fuertes. Es también importante que adquieras la habilidad de comunicarte bien con los demás para poder moverte más fácilmente por la vida.

La velocidad del sonido

Hemos hablado mucho de lo importante que es hablar, y es importante porque la cultura humana depende de ello. Sacarás más partido a tu vida si aprendes a hacer que trabaje para ti. Puede que tus padres se quejen de que ya es hora de que empieces a hablar como una adulta. ¿Perdón? Es natural que tengas demasiado energía para la estilización vocal de un adulto. Hay tantas ideas y pensamientos rondando por tu cabeza que cuando abres la boca para hablar, las palabras casi siempre salen en desorden a todo prisa.

Seguramente has conseguido hacerte entender con tus compañeros, pero también es importante que te comuniques efectivamente con gente de todas las edades. Esto te ayudará a hacer amigos, a ganarte a los enemigos y a conseguir algunas metas importantes. Si es gente como tú, querrá hacer tu vida más sencilla. Pero, ¿cómo vas a gustarles si no les das la oportunidad de conocerte? Es importante que les digas quién eres y qué es importante para ti.

Las primeras impresiones

La comunicación empieza incluso antes de que abras la boca. Nunca subestimes el poder de las primeras impresiones: éstas pueden hacer o romper una nueva conexión potencialmente útil. La gente empieza a analizarte desde el primer momento en que te ve, por esto es importante que utilices el lenguaje corporal adecuado. ¿Estás diciéndole a la gente que eres tímida e insegura porque bajas la cabeza y miras al suelo? Mantén una postura firme y mira a la gente a los ojos como si estuvieras orgullosa de ser quien eres. ¡Deberías estarlo! Tú eres igual que cualquier otra persona, así que transmite este mensaje fuerte y claro. Y recompénsales con una sonrisa.

Cuando alguien te presente a una persona, es bueno que digas el nombre de ésta en alto para que se quede grabado en tu cabeza, «Encantada de conocerte Brian». Podrías decir esto al mismo tiempo que le estrechas la mano. Dale la mano *firmemente* con fuerza y confianza en ti misma. Un apretón de manos flojo suele ser considerado como una señal de debilidad.

Sabemos que a veces es amedrentador conocer a gente de fuera de tu círculo de amigos. Piensa que por muy desconocido que sea el profesor de la universidad, la amiga de tu abuela, o el chico nuevo del colegio, todos son gente como tú. Independientemente de la edad o el género, ellos también empiezan su día con una visita al cuarto de baño. Respira profundamente varias veces y recuerda que a casi todas las personas de este planeta les gusta hablar de sí mismas. En general, es bastante sencillo entablar una conversación, basta con formular las preguntas pertinentes. Si escuchas atentamente la respuesta, muy pronto estarás fuera y corriendo.

Labios perezosos

Evidentemente hay gente a la que le gusta hablar y gente a la que no. Hay muchas personas a las que no les gusta conversar demasiado. No estamos hablando de la gente tímida, sino de aquellos que son socialmente perezosos, aquellos a quienes les encanta sentarse y disfrutar siempre de tu mismo ritual de canto y baile sin hacer el mínimo esfuerzo por participar. Bien, a ti nadie te paga por entretener así que si has conseguido después de mucho esfuerzo empezar una conversación pero sólo tú te esfuerzas por continuarla, déjalo estar. Intenta no decir nada durante unos minutos para ver si tu recién conocido capta la idea, pero ten en cuenta que esto puede ser peligroso. Se necesita mucha confianza para sentirse a gusto con el silencio. Cuando estás mirando a la cara a un desconocido, es muy fácil caer en la tentación de empezar a parlotear nerviosamente.

Afortunadamente la mayoría de la gente con la que entables conversación sabrá cómo continuarla. Tú también puedes aprender a hacerlo. La clave está en mantener la calma para así prestar atención a lo que la otra persona está diciendo y poder aprovecharlo cuando tengas una oportunidad.

En búsca de los puntos en común

En tus primeros esfuerzos por conversar, es mejor que te ciñas a temas seguros. Evita aquellos temas provocativos que aunque generan mucha conversación, no siempre lo hacen con buena voluntad (por ejemplo, la religión, la política, el aborto). Estás todavía intentando cementar la primera impresión que has creado y tu objetivo tendrá que ser evitar chocar con tu compañero. También es importante que moderes el humor. Cuando la gente no te conoce bien, puede llegar a ofenderse por tus bromas. Por eso, es mejor que en tus primeros encuentros intentes ser extremadamente amable y educada.

Algunos de los temas que podrías tratar son: los animales domésticos, la música, los viajes, las artes, la televisión, las películas, la cocina y la comida, los eventos del momento, Internet y las aficiones. Para facilitar tu camino hacia la conversación, recuerda que casi todos con los que te vas a encontrar:

- ❀ Quieren ser queridos y respetados.
- ❀ Quieren ser escuchados.
- ❀ Estarán un poco nerviosos por tener que abrirse a un desconocido por miedo a la crítica.
- ❀ Les gusta hablar de sus intereses.
- ❀ Les gusta reír y divertirse.

Normalmente es relativamente fácil relajarles:

- ❀ Haciéndoles preguntas abiertas que requieran más de un simple «sí» o «no» por respuesta (por ejemplo, «¿Cómo empezaste a interesarte por la fotografía?»).
- ❀ Siendo agradable.
- ❀ Enfatizando aquello que tenéis en común.
- ❀ Evitando contarles los detalles más íntimos de tu vida.
- ❀ Resistiéndote a la necesidad de comentar las imperfecciones de su manera de pensar.

El mejor consejo que podemos darte es que seas una *oyente generosa*. Prepara el plató con gracia y elegancia. Demuestra un interés genuino por lo que la gente te cuente y hazle alguna que otra pregunta relevante. Pronto estarán contándoles a los demás lo brillante que eres en la conversación –¡y sólo por dejarles hablar!

La gran evasión

Nadie te garantiza el trato con otras personas. A lo mejor hablas y hablas buscando desesperadamente un punto en común pero la única respuesta que consigues es el silencio absoluto o un monosílabo. Lo mejor que puedes hacer en estas situaciones es evadirte rápidamente.

Hay muchas maneras de escapar de una conversación tremendamente aburrida sin ser descortés. En las reuniones familiares, podrías escaparte a ayudar al anfitrión o a rellenar tu copa. En el colegio podrías disculparte de aquél profesor tan pesado, diciendo que tienes que ir urgentemente a la librería antes de que cierren, o utilizando la típica excusa de que has quedado con un amigo. Digas lo que digas, recuerda siempre decir, «Disculpe, pero tengo que...», de manera que no quede descortés o maleducado. Otras técnicas podrían ser:

- ✽ Mirar el reloj.
- ✽ Analizar la habitación buscando caras o rutas de escape interesantes.
- ✽ Bostezar.
- ✽ Telefonear con el móvil a algún amigo para contarle lo aburrido que estás.
- ✽ Ser tan ofensivo que la otra persona decida darse media vuelta y marcharse.

Lo que te falta es claridad

Sea cual sea la audiencia, siempre tendrás que estructurar tus palabras y frases de tal manera que éstas transmitan claramente tu idea. La mala comunicación puede ser algo muy peligroso. De hecho, muchas amistades y relaciones amorosas han sido aplastadas bajo su peso.

Pedir a alguien que confíe sus sentimientos a una tercera persona suele ser mala idea. Nadie está tan interesado en tu vida como tú lo estás, así que la gente no siempre prestará atención a lo que digas. Además, la gente tiende a seleccionar un grano de verdad y después lo adorna de sus propios pensamientos y palabras. La gente tiene unos prejuicios y predisposiciones que tú no conoces y cualquier palabra que digas por mucho que la hayas pensado puede ser sesgada para significar algo negativo. Nunca podrás controlar todas las variables, pero sí que puedes esforzarte por decir exactamente aquello que quieres decir.

En este caso también, lo mejor que puedes hacer para que la comunicación sea clara es transmitirla cara a cara. Los seres humanos confiamos en la «lectura» de las expresiones faciales, el tono de la voz y los gestos, para tener una comprensión total de lo que alguien quiere decir. Tanto si estás ofreciendo un cumplido como una crítica, cuanto más lejos estés de tu oyente más posibilidades tendrás de ser malinterpretado. Vigila con mucho cuidado tus palabras cuando no estés hablando cara a cara. Piensa que cuando hablas por teléfono pierdes dos aspectos importantes de la comunicación: las expresiones faciales y el lenguaje corporal. El e-mail es aún peor porque además pierdes el tono de voz.

Esto es simplemente el principio de los riesgos que afectan a la comunicación «electrónica». Entrar a *chatear* en la red es como coger el teléfono y marcar un número desconocido –o mejor aún, ir a un baile de máscaras. La gente siempre es más atrevida cuando se oculta detrás de una careta de anonimato –tú también. Incluso aunque conozcas a la persona con quien estás chateando, podrás dejarte llevar y decir cosas que más tarde desearás no haber dicho.

Solía chatear a menudo con mi ex novio porque vivía lejos de la ciudad. Una noche, empezamos a hablar de sexo y la conversación fue subiendo de tono cada vez más. Llegué a decirle cosas que jamás me hubiera atrevido a decirle en persona. Acabamos rompiendo nuestra relación porque creyó que todo lo que le dije quería decir que estaba preparada para hacer el amor con él y no era verdad. Lo peor es que se enfadó tanto conmigo que le contó todo a sus amigos. Yo estaba verdaderamente avergonzada.

Asegúrate de que tus palabras no vuelvan a ti para atormentarte. Las palabras que tú digas precipitadamente podrían llegar a dar la vuelta al mundo. Un último consejo: tú nunca sabes si las personas con las que estás chateando están siendo honestas contigo. ¿Es realmente un chico agradable de 16 años o un viejo pervertido de 50? ¡Nadie lo sabe a ciencia cierta! Alguien que sea experto en tecnología podría llegar a averiguar tu dirección. No te creas que estás cien por cien segura.

¡Persevera!

Dominar el arte de la comunicación clara requiere tiempo. Para afianzar cada vez más esta habilidad lo único que tienes que hacer es salir y hablar. ¿Qué mejor momento para el ensayo y error que ahora que la gente todavía no espera que tengas una finura conversacional? Aunque es cierto que algunos han nacido con un pico de oro, la mayoría de nosotros tenemos que practicar. El esfuerzo vale la pena ya que el lenguaje es una arma muy poderosa. Fíjate por ejemplo en como un equipo que está perdiendo el partido es capaz de acabar ganándolo simplemente por cuatro palabras que les ha dicho el entrenador.

La habilidad de hablar bien de un político puede cambiar a una nación, y es por eso que la mayoría de ellos contratan a gente experta para que les escriban los discursos de tal manera que expresen sus ideas elocuentemente. Los políticos no pueden arriesgarse a decir algo mal, pero tú sí puedes, porque la nación no está escuchando lo que dices (¡por ahora!). A veces meterás la pata pero seguramente no cometerás dos veces el mismo error. Como todo en la vida, el lenguaje es algo que va mejorando continuamente. Primero intentas algo, luego analizas qué es lo que ha funcionado y lo que no, y después pruebas con algo un poco diferente.

Díselo a tu diario

Cuando estés intentando averiguar qué decirle al mundo y cómo decírselo, te será de gran ayuda tener un diario. El diario es una manera segura y legal de «contarlo todo». Podrás liberar tu mente de todos esos pensamientos peligrosos que no te atreverías a compartir con ninguna otra criatura viviente –a excepción del perro de la familia.

¿Has deseado alguna vez haber tenido más control de una situación determinada? Bienvenida al club. En las películas, los personajes dominan los diálogos. En la vida real, tú no tienes un equipo de talentosos escritores que te dicten las frases que has de decir, así que es bastante probable que de vez en cuando te quedes en blanco. En estos casos el diario es muy útil para reconstruir lo que ocurrió. En sus páginas puedes convertirte en ese encantador personaje que te gustaría ser. El imaginar todas las cosas inteligentes que te *hubiera* gustado decir te ayudará a aliviar los malos sentimientos –y a prepararte para la próxima vez que te cojan por sorpresa. ¡Entrégate al poder del bolígrafo!

Hola Diario,

Justo cuando he llegado al colegio me he enterado de que la ex novia de Sean, la endiablada Tessa (esa que parece que lleve una peluca asustada), ha estado criticándome de mala manera porque Sean me ha pedido para salir. Él la abandonó hace ya un mes pero ella sigue creyendo que le pertenece. En fin, que ha estado todo el día metiéndose conmigo. Después del colegio, Tessa y su pandilla me han rodeado en el vestuario. Ni siquiera les he visto venir (aunque he notado la fuerza del diablo). Se ha apoyado en mi hombro y me ha susurrado al oído, «Apártate de mi novio». ¿Su novio? Yo estaba demasiado asustada para decir algo –además sus amigas son realmente fuertes. Después me ha dicho que si no me alejaba de él, me daría una paliza.

Ojalá pudiera volver a vivir ese momento. La miraría a los ojos y le diría, «Escúchame bien: Sean te abandonó por la única razón de que a él le gustan las chicas con clase. Y la gente con clase no va por ahí amenazando a los demás. Saldré con quien me dé la gana y cuando me dé la gana; además, a mi no me asusta nadie que tenga que ir acompañado de su pandilla para que le protejan». Me encantaría haberle dicho todo esto, pero me quedé helada. ¡Quizás la próxima vez!

El mundo según tú

El diario es el lugar perfecto para registrar lo que piensas sobre el mundo que te rodea. Si coges este hábito, te verás acompañada de artistas y escritores maravillosos, y de buenos observadores. Muchos de ellos eligieron el diario como confidente y desarrollaron un talento increíble para la escritura. Si echas un vistazo a sus diarios, verás paralelismos sorprendentes con tu propia vida.

Muy pocos de nosotros veremos nuestros diarios publicados. Los diarios son una expresión muy privada de nuestras experiencias y sentimientos. Tu diario es algo que tendrás que ir sacando una y otra vez para reflejar en él tu vida. El hecho de volver a leer sus páginas te dará perspectiva y comodidad. Incluso a veces, cuando estés buscando respuestas a preguntas importantes de la vida, bastará con que releas algo de lo que has escrito para descubrir que no necesitas ir a ningún sitio para buscar ayuda. Verás que en realidad ya tenías las respuestas. Un bolígrafo y un papel te darán perspectiva y te ayudarán a dejar pasar esas emociones que nublan tu juicio.

Escribir sobre tus sentimientos es terapéutico porque en determinados momentos todos nos sentimos ignorados. A lo mejor la gente que nos rodea está demasiado ocupada y distraída para escucharnos cuando realmente lo necesitamos. Sin embargo, tu fiel diario nunca te dirá, «¿Podemos hablar sobre ello más tarde?». El diario es un amigo muy generoso y compasivo.

Tu «libro de la verdad» se convertirá en el recuerdo escrito de tus esperanzas e ilusiones y te ayudará a descubrir qué es importante para ti en la vida. Podrás determinar tus objetivos en la vida y medir tu progreso simplemente leyendo cosas que escribiste anteriormente. Algunas veces verás que has avanzado mucho, otras te darás cuenta de que todavía te quedan cosas por hacer.

Bajo llave

Sólo tú puedes leer tu diario. Podrás ser todo lo frívola y mezquina que quieras, o todo lo arrogante y exageradamente dramática que desees. Nadie va a editarlo o a juzgarlo. Para asegurarte de que sea así, mira bien dónde lo guardas. Leer el diario de otra persona es una de las tentaciones más grandes. ¿Te gustaría que alguien te quitara el cuero cabelludo y mirara curiosamente dentro de tu cerebro? Si tu respuesta es no:

1. Disfraza el libro como si se tratara de otra cosa. Utiliza una libreta del colegio o un álbum de fotos.

2. Procura que no sea el típico diario con las palabras *Mi diario* grabadas en la tapa.

3. Elige con cuidado el momento de escribir en él. Recuerda que es un acto privado.

4. Por muy de fiar que sea tu familia, procura no dejarlo nunca a la vista de todos.

5. Cámbialo de sitio regularmente, o hazte con una caja con llave.

Cuando empieces a estar entradita en años –digamos, hacia los 30– tu mente estará tan atestada de distracciones y responsabilidades de la vida adulta que empezará a olvidar los detalles de tus años jóvenes. ¿Te gustaría olvidar todos estos momentos especiales que estás viviendo ahora –como el premio que acabas de ganar, el chico que acabas de besar, o ese talento recién descubierto? ¿Qué mejor manera de retener esos momentos de alegría que guardarlos bajo llave en un diario?

Una mamá de vértigo

Si tu diario es un registro de tu vida joven para mirarlo cuando seas mayor, asegúrate de que no te vayas a horrorizar al descubrir que fuiste una neurótica, una alocada, o un monstruo melancólico. Seguro que en algún momento lo eres, pero no siempre. Todos tenemos tendencia a escribir cuando estamos extremadamente emocionados positiva o negativamente por algo. Esto quiere decir que cuando seas más mayor y vuelvas a leer tu diario encontrarás que éste es un registro de éxtasis y angustia –pero nada más intermedio.

Querido Diario,

¡Odio mi vida!. Nadie me quiere. Ni siquiera mi propia familia se daría cuenta si la fuerza de gravedad cesara de repente a mi alrededor y saliera volando hacia el espacio exterior. Probablemente incluso se alegraría de tener más espacio en casa. Apenas cinco minutos después de haber escuchado en las noticias que estoy girando alrededor de Marte, empezarían a sacar el papel de la pared para convertir mi habitación en un estudio. Incluso el perro me ha gruñido esta mañana. Mis amigos me toleran porque sienten pena por mí y Sean no me llama desde la última vez que salimos.

Hola Diario,

¡Hoy ha sido mi cumpleaños!. Esta mañana han llamado a la puerta y cuando he abierto han aparecido todas mis amigas con globos. Me han cantado el Cumpleaños Feliz con todas sus fuerzas y todos los vecinos han empezado a mirar por la ventana para saber qué pasaba. Además, el examen de geografía me ha salido perfecto. A Tessa le han tenido que llamar la atención y cuando ya nos íbamos, Sean estaba esperándome ¡con una rosa y un osito de peluche! Me ha acompañado a casa y ¡me ha dado un beso de despedida! ¡Oh, Cielos! ¡Es el chico que mejor besa del mundo! ¡No puedo dormir, estoy tan contenta!

Si escribes más regularmente conseguirás plasmar una imagen más equilibrada de tu vida, y así ya no será un registro de únicamente las victorias y los fracasos. Si piensas que no vas a saber qué contarle, aquí tienes algunas ideas para empezar:

- ❃ Imagínate que estás hablando con tu mejor amiga y le estás contando el último cotilleo de tu familia y qué está pasando en el mundo.

- ❃ Registra tus objetivos en la vida tal y como los ves hoy. Escribirlos es el primer paso para conseguirlos. De hecho, intenta determinar también los objetivos para el próximo mes o año. Recuerda que nadie más que tú está evaluando tu esfuerzo.

- ❃ Sueña despierta sobre lugares que te gustaría visitar o gente que te gustaría conocer.

- ❃ Incluye fotos, dibujos o cartas, y si quieres los resguardos de las entradas –cualquier cosa que te ayude a describir tu vida.

Diviértete al escribirlo. No te preocupes por la gramática. Intenta buscar un lugar y un momento que te sea cómodo para escribir y así se convertirá en un ritual. Hay quien prefiere escribir a la luz de las velas y quien prefiere hacerlo en una cafetería.

Querido Diario,

Hoy ha sido un día normal y corriente. Al releer mis últimas entradas, me he dado cuenta de que cuando tenga 40 años sacaré este diario y pensaré que fui una adolescente muy desgraciada, lo cual ¡NO ES VERDAD! Me pregunto cómo seré cuando tenga 30 años. Quizás viva a las afueras de la ciudad, en una casita apartada con mi querido esposo, haciendo de asesora de moda *online*. ¡Me encanta la ropa y mis amigos siempre me piden consejo y dicen que tengo muy buen gusto! Quién sabe –quizás me dedique a algo que nunca haya imaginado. De cualquier forma en estos momentos estoy tan ocupada con mis altibajos que no puedo pensar en otra cosa. Siempre tengo hambre, tengo la cara llena de granos, y me cuesta despertarme por las mañanas. A veces me pregunto si no me estará pasando algo raro porque esto no puede ser normal. ¿O sí?

20

Las hormonas:
Tu endemoniado copiloto

De acuerdo, cuéntanos la verdad. Durante el año pasado...

1. ¿Te has encerrado alguna vez en tu habitación con un ataque de rabia tan intenso que por poco te estrellas contra el techo?

2. ¿Has llorado alguna vez tanto rato seguido que al final no sabías ni cuando empezaste a hacerlo?

3. ¿Has cerrado de un portazo la puerta de tu habitación?

4. ¿Te has encerrado en la habitación y has empezado a arrancar los pósters de la pared y alguna que otra cosa –mientras ponías la música a todo volumen?

5. ¿Te ha entrado la risa floja y no has podido parar hasta que te han echado de clase?

6. ¿Te has enfadado con todos y por todo sin motivo alguno?

Si respondes «sí» a cuatro o más preguntas –¡Felicidades. Eres perfectamente normal! Si contestas «sí» a menos de cuatro, o bien nos estás mintiendo o bien estás reprimiendo tus emociones de tal manera que un día de estos explotarás como una bomba. Estarás preguntándote, ¿perfectamente normal? ¿Cómo pueden considerarse normales comportamientos de este tipo? Bueno, el calificador importante es que estos comportamientos son perfectamente normales *para una adolescente*.

Los tests de laboratorio

Buenas noticias. Estos comportamientos, por muy irracionales que sean, no son culpa tuya. Existe una explicación científica. La verdad es que en estos momentos tú no eres la única que controla tu vida. Te has aliado a un copiloto endemoniado: las hormonas. O, como nosotras las denominamos, «las horror-monas».

Ya hemos mencionado antes a estas pequeñas bestias, pero todavía no hemos descrito cómo funcionan. Las hormonas son sustancias naturales que tu cerebro envía a otras partes de tu cuerpo para indicar la necesidad de acción de algún tipo. El cuerpo humano produce cientos de estas hormonas, pero la hormona que en estos momentos está haciendo verdaderos estragos es la FSH, hormona estimulante del folículo. Esta hormona empieza a sacudir cuando entras en la pubertad y se dirige directamente a tus ovarios, donde hace que los folículos disparen otra hormona denominada *estrógeno*. El estrógeno (el cual sentimos decirte te tendrá cogida por el cuello durante toda tu vida) viaja entonces por todo tu cuerpo y provoca todos estos cambios que estás experimentando como la repentina aparición del vello púbico.

Tanto si estás preparadas como si no, las hormonas son las que decidirán que ha llegado el momento de que empieces a parecer una adulta. Lo que es especialmente frustrante es que por muy adulta que parezcas y por mucho que los adultos dejen de tratarte como una niña, lo más probable es que tú en tu interior sigas sintiéndote una niña. O, en muchos casos que no estés segura de lo que sientes. Cuando las hormonas empiezan a atacar las emociones se intensifican.

Mejor será que te prepares porque va a ser un largo y accidentado viaje. La verdad es que nunca vas a quitarte de encima el peso de las hormonas. Aunque poco a poco los días buenos serán cada vez más numerosos, lo cierto es que en el otro extremo de tus años reproductivos, hacia los 50 años, el decline hormonal será también brutal. Seguramente pronto verás a tu madre pasando esta etapa. De hecho, ahora es el momento más adecuado para mencionar algunos de los rencores que estás acumulando en esta etapa de tu vida.

La llamada

Puede ocurrir que las hormonas se apoderen de tu vida tan repentinamente que antes de que te des cuenta estés ya a su merced. En estos momentos seguramente ya te hayas dado cuenta de un efecto clave de su influencia: una repentina e inexplicable obsesión por los chicos. No tiene sentido que nos vayamos por las ramas en este tema. Tus hormonas han despertado un enorme interés sexual. Lo que está llamando a tu cabeza es la *Llamada de la Reproducción*. Ahora no te hagas la remilgada. Es la maravillosa naturaleza. Tu cuerpo simplemente está sintonizando con el instinto humano básico de la reproducción.

Nos rompe el corazón arruinar tus ilusiones sobre el mito y el misterio del amor, pero el instinto que hemos mencionado es mucho más elemental que eso. Es una fuerza extremadamente poderosa que ha ayudado a las especies humanas a triunfar como han triunfado en este planeta. Pero de misterioso y romántico no tiene nada. Mezclar la *Llamada* con nociones románticas es la receta para los problemas. Nos estamos acordando de algo que una doctora escribió en los años cincuenta, cuando las chicas no podían ser honestas como ahora con lo que sentían:

«Yo no soy de esa clase de chicas», me explicaban. Eso es absurdo.
Excepto unas pocas que tienen metabolismos anormalmente bajos, todas
son de esa clase de chicas.

DRA. MARION HILLIARD,
A Woman Doctor Looks at Love and Life, 1957

Todas escuchamos la *Llamada*, pero afortunadamente podemos decidir si queremos obedecerla o no. De hecho, en estos momentos lo mejor que puedes hacer es no obedecerla. Es una fiesta mayor cuando consigues acabar el día sin explotar en miles de pedazos. Es verdad que la definición «un instinto humano básico» suena a concepto muy simple, sin embargo llegar a controlarlo es uno de los grandes retos con los que te encontrarás en tu vida. La necesidad humana de comer es también un instinto básico, pero es mucho más directo: tienes hambre, pues comes. El mero hecho de escuchar la Llamada de la Reproducción, no quiere decir que tengas que empezar ya a tener relaciones. Escucharás la Llamada mucho antes de que tu mente y tus emociones hayan madurado suficientemente para procesar todas las implicaciones de las señales.

Nuestro consejo es ¡PÁRATE AQUÍ MISMO! Retrocede, escucha la canción que tus hormonas están cantando, y espera hasta que tu cabeza y tu corazón lleguen al nivel de tu cuerpo para tomar cualquier acción. Después vuelve a leer las estrategias que hemos subrayado en la Segunda Parte y procede con cuidado. No te acerques demasiado a esos cromosomas Y hasta que estés bastante segura de que dominas totalmente este instinto básico. Después de todo, el hecho de que podamos razonar acerca de él es lo que nos diferencia de otras especies.

Su lado de la historia

Como ya hemos apuntado, los chicos también escuchan la *Llamada*. De hecho, hay quien dice que los chicos no oyen nada más que la *Llamada* —que suena tan fuerte en sus cabezas que sólo la música a todo volumen y los motores pueden penetrar la barrera del sonido. Unos chicos que sobrevivieron a la adolescencia nos contaron que los chicos tienden a reconocer la *Llamada* por lo que es, una cosa sexual, y por tanto es menos probable que lo confundan con algo romántico.

Los chicos se dan cuenta de que han entrado en la pubertad con su primer «sueño erótico» o eyaculación durante el sueño. Ellos también tienen su copiloto endiablado llamado *testosterona*. Ésta demuestra su presencia cambiando la voz de los chicos, haciéndoles crecer pelos en la cara, y produciendo erecciones espontáneas —incluso aunque el chico no esté pensando en nada sexual. Ahora dinos que no es una maldición.

Así pues, aunque los chicos no quieran admitirlo, ellos también sufren. Nosotras, como no somos chicos, somos parciales. Nosotras creemos que ellos no sufren tanto los efectos de la testosterona como nosotras sufrimos los del estrógeno. Pero, ¿te cambiarías por uno de ellos?

Altibajos

Las hormonas son las culpables de muchas cosas pero no son las únicas. Es algo perfectamente normal en esta etapa que desafíes a todo o casi todo. Como «adulto en formación» es tu función luchar por la independencia y cuestionarte toda la información que recibes. Tienes que desafiar las nociones que los adultos tienen. ¿Qué mejor que saber qué quieres creer? Cuanto más desafíes más aprenderás. El desafío constante es muy molesto para los adultos y les obliga a defender su punto de vista; sin embargo, es un ejercicio extremadamente útil (para ambos —después de todo ellos también tendrán que pensar).

No hace falta decir que éste es un tiempo terrible para tus padres. Y no hay vuelta atrás. Recuerda que hasta hace muy poco tú eras su niña mimada, fácil de complacer. Creías todo lo que ellos decían. Y, ahora sin embargo te cuestionas cualquier punto de vista que ellos defienden. Además les explicas de malas maneras porqué están equivocados. Oh, no creas que no sabemos sobre ello. Esto es lo que nos dijo Susana:

Mi padre me llamó malvada hace dos meses. Le oí diciéndole a mi madre, «¡Susana ha sido tan malvada hoy! Creo que nunca más voy a poder vencerla». No podía creerlo. Estaba en la cama y lloré durante tres horas. Había tenido un día muy duro y pensé que por lo menos alguien simpatizaría conmigo. Pero ¡¡NO!! Mi madre me había comprado un jersey lila y me imagino que intentaba ser amable —pero el lila dejó de gustarme cuando Debbie empezó a copiarme. Ya le había explicado que odiaba el lila, pero nunca me escucha. Mi padre siempre está diciéndome eso de «no hables así a tu madre» —lo cual me irrita tremendamente. Ni siquiera puedo decirle cuando está equivocada. Están siempre intentando controlarme.

A Susana le costó dos semanas contarle esta historia a su mejor amiga Kelly. Cuando lo hizo, Kelly admitió que lo mismo le había ocurrido a ella. Mientras que ella y su padre estaban discutiendo sobre alguna estúpida norma doméstica, él la llamó malvada —así, *directamente a la cara*. Las chicas admitieron que se habían sentido heridas y avergonzadas por el comportamiento de sus padres. Pero después empezaron a reír, y se dieron cuenta de la terrible verdad –habían sido realmente malvadas. Ambas admitieron que no había sido la primera vez que se habían comportado de una manera tan desagradable.

Para admitir este tipo de comportamientos hay que conocerse a sí mismo, y como ocurre con todas las cosas que son buenas para nosotros, no es algo que se consiga fácilmente. Los adultos no siempre son el mejor ejemplo. Seguramente habrás conocido adultos que se comportan como idiotas, pero que no se dan cuenta de ello. Algunos lo confesarán en privado, pero no cuentes con ello.

Nada de esto dispensa a un padre de llamar malvada a su hija. Hay maneras mejores de expresar insatisfacción. Pero hay padres que tardan años en conocerlas y cuando por fin lo hacen su querida hija ya empieza a estar harta. Si ya tienes conocimiento de ti misma, admitirás que no es divertido sobrepasar los límites. De hecho, es una forma de arte poco apreciada. Seguramente no deberíamos estar diciendo esto, pero ten en cuenta que no estamos escribiendo para los padres. Existen un montón de libros en el mercado para ellos. De todas formas, podrás volver a ellos cuando tengas treinta años y les necesites para que se queden vigilando a tus propios hijos.

Para entonces, ya te habrás dado cuenta de que tenían razón. Quizás no, pero lo más probable es que sea así. Mientras tanto, tendrás que seguir abriéndote camino hacia la independencia. Y si alguien te insulta atribúyelo a la experiencia. Si es tu padre, seguramente se sentirá muy mal cuando lo menciones dentro de unos años.

Los síntomas del exceso hormonal

Cuando tus hormonas y tu necesidad de independencia colapsen se producirá un estallido y perderás el control de ti misma; esta pérdida generalmente se manifiesta con los terribles llantos, con la risa tonta o con el ataque de rabia que hemos mencionado anteriormente. Hablemos un poco más de cómo te torturan las hormonas y consideremos algunas formas de controlar el daño.

Llora, mi niña, llora

El llanto ha tenido una acusación falsa. Es realmente una fabulosa manera de liberar la ira, la frustración y la tristeza. Precisamente por esto vamos a ver películas tristes, aunque sepamos que probablemente no dejaremos de llorar.

Algunos te dirán que llorar es un signo de debilidad. Nosotras no estamos de acuerdo con esta afirmación. Piensa en ello. Sin esta salida, las chicas explotaríais u os veríais obligadas a rebajaros a otras formas de expresión como los puñetazos y los deportes violentos, como hacen otros que sabemos. El llorar es una desintoxicación emocional. No siempre es bonito, pero es saludable.

Puede ser incluso placentero el abandonarnos a un buen llanto cuando parece que la vida nos está arrollando. Siempre es mejor satisfacer esa necesidad en privado, para así poder retorcernos dramáticamente encima de la cama. Adelante, coge la almohada si es necesario, y llora largo y tendido hasta que empieces a tener hipo. Tómate todo el tiempo que necesites para explayarte en aquello que te ha provocado, repitiendo la escena en tu mente varias veces. Revuélcate en ello. Sabrás que la juerga ha terminado cuando te encuentres estirada preguntándote qué estarán haciendo tus amigos. Probablemente sientas la necesidad de comer algo, levántate y coge un trozo de chocolate, arréglate un poco, y continúa tu día.

Evidentemente existen algunos inconvenientes de la juerga del llanto. Una vez empezada, es difícil pararla. Y, si ésta ocurre en público, cuando ya haya pasado te avergonzarás. Según nuestra experiencia, podemos decirte que la gente nunca olvida una cosa así. Te tacharán de «emocional» para siempre. Esto es injusto pero cierto. Es por esto que queremos ofrecerte unos consejos para ayudarte a mantener tu compostura.

Cuando sientas que empieza la inundación:

❀ Aléjate de esa situación peligrosa lo antes posible.

❀ Distráete con alguna amiga. No pretendas que simpatice contigo, porque esto sí que provocaría la inundación segura. Hablad de otras cosas –de sus padres, de su perro, de la comida. Cambia de tema rápidamente para poder recuperarte.

- Mira arriba. Aunque no lo creas, el mirar hacia arriba funciona. Sólo tienes que acordarte de hacerlo.

- Utiliza sólo pañuelos de papel de buena calidad para evitar que tu nariz se ponga como un tomate.

- Nunca llores por la noche en la cama. El hinchazón de ojos con el que te despertarás será el indicador de una pena por fin olvidada.

- Si se te hinchan los ojos, ponte rodajas de pepino o algodones mojados en manzanilla durante cinco minutos.

- Si has estado llorando y quieres negarlo, utiliza la excusa de la alergia. La gente suele creer esta excusa, a no ser que también la utilicen.

Si te has permitido una sesión de llanto demasiado prolongada, piensa un poco. Por muy cursi que parezca, te animarás si cuentas tus ventajas y miras alrededor a aquellos que tienen problemas mayores que el tuyo. En esos momentos, es difícil acordarse de hacerlo pero hay gran cantidad de cosas buenas en tu vida.

Unos días después de que el novio de Elena la hubiera dejado, ella estaba en su habitación con algunas amigas escuchando la radio. De pronto pusieron «Su canción» pero antes de que empezara a ponerse melancólica, sus amigas empezaron a cantarla. A cantarla mal expresamente. De hecho lo hicieron tan mal que Elena no pudo dejar de reír y a partir de ese momento nunca más se acordó de Brian cuando escuchaba esa canción. En lugar de eso, se acordaba de lo divertidas que eran sus amigas.

Mejor que rías

Llorar, reír, llorar, reír... Parece que una cosa lleve a la otra. La línea divisoria entre las emociones casi nunca está clara, pero aún lo está menos en la etapa adolescente. La histeria no es más que una parte del paquete.

Piensa por ejemplo en cuando te desternillas de risa. Normalmente esta risa es una respuesta a una situación incómoda más que a algo realmente divertido. Y es muy probable que pierdas el control si sabes que no *deberías* reír. Si estás nerviosa, quizás te dé la risa tonta. Si estás nerviosa y un chico que te gusta está en la habitación, entonces seguro que te da la risa tonta. Si estás nerviosa, estás en una situación formal, y tus amigos están contigo, quizás te rompas una costilla de la risa.

Es difícil resistir el impulso a reír en determinadas situaciones. Imagínate que a alguien se le escapa un pedo. Lo más seguro es que todos se pongan a reír. Una de nosotras tubo un jefe a quien siempre se le escapaban, incluso en las reuniones. La única opción era abandonar la sala y salir a reír histéricamente.

No es que toleremos la risa histérica en situaciones públicas, simplemente queremos que sepas que ésta ocurre y que por un día no pasa nada.

Todavía es más divertido unirte a la risa histérica de un amigo. No nos gusta tener que desanimarte a que lo hagas. La risa incontrolada puede ocurrirnos en cualquier situación, desde en un funeral, hasta en un hospital, pasando por una reunión de trabajo.

Algunas sugerencias para minimizar las consecuencias si alguna vez pierdes el control en un momento inoportuno:

- ❈ No mires a tus amigos durante cinco sólidos minutos –no bromas.
- ❈ Pellízcate para distraerte.
- ❈ Evita cualquier tipo de comida o bebida.
- ❈ Piensa en cosas serias como las vacaciones o una historia sensible sobre animales.

Si todavía no puedes dejar de reír, ríndete y déjate llevar. En realidad a los adultos también les cuesta ser duros con la risita de un adolescente, a no ser que piensen que están riéndose de ellos. Si estás riéndote de un adulto, cuando éste se dé cuenta vas a tener problemas porque cuanto más se enfade más gracia te hará. En este caso, prepárate para recibir alguna que otra bronca, te la mereces.

La rabieta

Es impresionante ver lo enfadado que puede ponerse un adolescente por la tontería más grande. Algunos días el mero hecho de tener que levantarse ya les pone de mal humor. Esto no quiere decir que en algunos casos el enfado no esté justificado. Lo que es un problema son las rabietas demasiado intensas –esas que hacen enloquecer a tus padres y te hacen encoger cuando al día siguiente las recuerdas.

Nos gustaría poder decirte que las rabietas son la conclusión lógica de un cúmulo de pequeños enfados. El hecho es que las rabietas son explosiones totalmente irracionales e impredecibles, que normalmente se producen en el momento menos adecuado. Un buen ejemplo podría ser el berrinche que coges los lunes por la mañana porque no hay suficientes cereales. Tu madre, quien (¿sarcásticamente?) te dice que la caja de cereales integrales de salvado está todavía llena, debería estar educada sobre la importancia que tienen tus cereales de la mañana, especialmente el lunes. Si comete el error de decir algo en broma como «¡cálmate!», es como si echara fuego a la pólvora. Después de muchos gritos y portazos, acabarás yéndote al colegio hambriento y agotado.

No, no es lógico. Y además luego te avergonzarás de ello. Afortunadamente hay muchos remedios:

1. Vete. Si estás apunto de encenderte, vete a otra habitación y escucha música o mira la televisión. Aún mejor, telefonea a alguna amiga y quéjate, o ve a dar una vuelta.

2. Cíñete al problema en cuestión. Las digresiones prolongan la pelea y dificultan su resolución.

3. No rompas la barrera del sonido. Digas lo que digas, si el volumen es demasiado alto, tu opinión pierde peso.

4. No te alteres nada, así podrás decirles a tus padres que sus gritos te están molestando. Diles que te gustaría poder hablar con ellos cuando recuperen el control. (Esto les enfurecerá pero así tú no gritarás.)

5. Ahórrate la rabieta para otro día. Promete que al cabo de 24 horas te expresarás claramente, cuando hayas tenido la oportunidad de pensar en un buen y sólido argumento. La posibilidad de

ganar es mayor si mantienes la calma. No tiene ningún mérito lo que hagas si acabas gritando «Te odio».

6. Si tienes la sensación de haberte equivocado, pide perdón. La humillación creativa es una buena alternativa. Por ejemplo, cocina algún pastel para tu padre uno o dos días después de haberle llamado «Monstruo sobreprotector».

El mejor consejo que podemos darte para cuando estés enfadada es ¡déjalo! Mejor salvar las apariencias que estallar en cólera y perder toda dignidad. Pase lo que pase, recuerda que pronto se olvidará. La gente que te quiere tiene que olvidar y perdonar, igual que tú también deberías hacerlo.

Un último consejo

Sí, toda esta locura es completamente normal. Ya mejorará. Un día, de repente te darás cuenta de que hace mucho tiempo que no pierdes el control. Sentirás agradecimiento y arrepentimiento al mismo tiempo. Por supuesto que los malos momentos son una lata, pero los momentos de euforia ¡son impresionantes! Conseguir tu primer trabajo o el primer beso son momentos en los que vale la pena perder el control. Te esperan un montón de años de aburrida estabilidad. Disfruta del viaje mientras puedas.

21

Es tu cuerpo, mejor será que te acostumbres a él

Es divertido ver como va cambiando tu cuerpo, especialmente cuando te das cuenta de que los demás (especialmente los chicos) también están observando tus cambios. Un día, cuando estés cambiando y estés a punto de llegar a la edad adulta, estarás caminando por la calle y de pronto los chicos de un coche que pasa te gritarán un piropo.

De pronto te das cuenta algo sorprendida de que ya no eres una niña. Ahora tienes el sospechoso honor de ser una mujer joven, el objeto de muchos, incluso demasiados, intereses de los bufones del mundo, y a veces no suficientes de los chicos que conoces de toda la vida. Tan pronto querrás cubrirte con un enorme poncho como querrás encajarte en un conjunto de Lycra extremadamente ceñido. Dudarás entre si quieres que los chicos te vean de *esa manera* o no, pero por otro lado harás lo posible por que te vean. Esto es el tira y afloja de la adolescencia. Por un lado quieres presumir de todo, pero sólo ante los ojos que te *interesan*. Es una situación bastante desafiante especialmente cuando el chico de tus sueños está rodeado de un grupo de zoquetes que también quieren admirar tus atributos recién descubiertos.

Poco apoyo para las chicas

La transformación puede empezar con la observación de tu madre de que ha llegado el momento de que te compres el primer sujetador. Para muchas de nosotras, esto es la señal inequívoca de que nuestras hormonas han empezado a dar la lata. Algunas chicas se estremecen cuando se dan cuenta de lo que les está ocurriendo; otras se sienten totalmente desgraciadas. Tu manera de pensar acerca de los cambios que está realizando tu cuerpo va estrechamente ligada a los miedos y esperanzas que tengas de ser atractiva para los demás. De repente nos abruma una enorme sensación de inseguridad.

Cuando oí que mi padre le decía a mi madre que yo necesitaba un sujetador me enfadé mucho por ser él quien primero se diera cuenta. Me daba vergüenza ir a la tienda con mi madre y me sentí humillada cuando la dependienta vino al probador y empezó a «ajustármelo». Recuerdo que los primeros días parecía que me ahogaba, y me daba tanta vergüenza que durante semanas estuve llevando jerseys bien anchos para que nadie se diera cuenta. De pronto un día me olvidé y me quité el jersey, entonces Esteban empezó a gritar que llevaba sujetador y unos diez chicos aplaudieron.

Aquí tienes la otra cara de la moneda:

Estaba ansiosa por ponerme un sujetador. Todas mis amigas ya se habían desarrollado y yo era la única que no tenía pecho. Los chicos empezaron a llamarme «plana». No paraba de incordiar a mi madre diciéndole que me acompañara a comprar un sujetador pero ella siempre me contestaba que no lo necesitaba —y que ya tendría tiempo de llevarlo. Mirándola a ella me daba cuenta de que no podía aspirar a mucho: ella es casi plana. Al final, mi mejor amiga Nica me regaló uno de los que le sobraban. Era uno de esos acolchado que te aumenta el pecho. Estaba tan entusiasmada con mis nuevas tetas que hasta me compré una camiseta ajustada para lucirlas. ¡Tendrías que haber visto la cara de mi madre cuando llegué por la noche a casa!

Espejito, espejito

En cuanto las hormonas hallan empezado a poner en funcionamiento su magia extraña, empezarás a fijarte más en tu cuerpo. Recuerda cuando tenías siete u ocho años. ¿Te preocupaba entonces tu aspecto?. ¿Malgastaste un solo minuto de tu día analizando la forma de tu cuerpo o tu cara? Lo más probable es que sólo te preocuparas por tu aspecto algún día muy señalado. Seguramente tampoco nunca criticaste tu aspecto. De hecho, probablemente sólo te interesaban las cosas de ti que te *gustaban* –tu perfecta naricita, tus enormes ojos verdes, o tu pelo largo y rizado.

En el pasado, estabas tan ocupada siendo tú misma que no tuviste tiempo para compararte con el resto de las chicas del mundo. Por desgracia, ahora que eres adolescente y ya te has conectado de cabeza con la cultura popular, estás todo el tiempo comparándote con las demás. Mires donde mires siempre hay imágenes de lo que hoy día entendemos por perfección y lo único que ves es que no llegas a ella. Te das cuenta de que tu pelo no es tan bonito como el de esas chavalas que salen por la televisión. Y, ¿por qué demonios tú no tienes ese cuerpo largo y esbelto que tienen las modelos?

¿Cómo puede una chica enfrentarse a esa sorpresa tan desagradable?

La ilusión perfecta

¡Ha llegado el momento de hacer una inspección real! Primero de todo, el concepto que la sociedad tiene sobre la belleza femenina cambia constantemente. En ciertas épocas, las curvas eran lo mejor. En los años cincuenta por ejemplo, las mujeres parecían eso, mujeres. Tenían caderas, pecho, muslos y barriga. ¿Sabías que Marilyn Monroe, considerada una de las mujeres más sexys de la historia, usaba una talla 40? Después, en los años sesenta, empezó a ponerse de moda estar delgado (caderas estrechas y sin pecho). Las chicas aspiraban a tener un cuerpo como el de un tío.

Actualmente, la figura más deseada de las chicas es más atlética, delgada por la parte de abajo y «rellenita» de la mitad para arriba. Evidentemente, siempre hay excepciones. Mira, las mujeres estamos hechas para criar y esto implica tener caderas. Además, aquellas que consiguen tener unos buenos pechos también tienen caderas y culo.

Todas sabemos que existen una docena de chicas cuyas figuras demuestran que lo que acabamos de decir no es cierto. Vale, pero no te obsesiones por esos cuerpos famosos. Hay excepciones a las normas de la naturaleza. Pocas mujeres consiguen mejorar el cuerpo que la naturaleza les ha dado y tener caderas estrechas y grandes pechos. La mayoría de las mujeres que vemos en el cine y en la televisión ha tenido la suerte de nacer lo mejor de lo mejor. Ellas no son de ninguna manera la *media*. Y, recuerda que ellas no han nacido con ello, sino que tienen el dinero para comprarlo. Mucha gente famosa ha recurrido a la cirugía plástica para alcanzar el ideal de belleza actual –con implantes en los pechos, cirugía nasal o liposucción.

Cuando sientas envidia por los cuerpos denominados perfectos que salen en la televisión, recuerda que ese es su *trabajo* y que seguramente les cuesta muchos sacrificios. Los famosos tienen el tiempo y el dinero para pagar a entrenadores personales. Probablemente tú también estarías fantástica con ayuda de un profesional únicamente dedicado a ti y no digamos con un cocinero que te preparara comidas sin grasas de primera calidad. Las «estrellas» están bajo la constante presión de pasar hambre. ¿Cómo te sentirías si alguien –por ejemplo, la audiencia– estuviera continuamente controlando tu peso? Para compensar un pastel de cumpleaños te darían una ramita de apio y unas espinacas para comer durante unos cuantos días. ¿Se te hace la boca agua? No te preocupes, también te darían una cucharada o dos de proteínas para compensar tus dos horas de ejercicio diarias.

Lo que el trabajo duro y la abnegación no puede hacer, lo hará la técnica. La cara que tú ves en la portada de una revista ha sido totalmente retocada. Con ayuda de un equipo de producción post-foto, cualquiera puede tener un aspecto fabuloso. Se pueden alargar y adelgazar las piernas y los brazos. Las pequeñas arrugas y las manchas pueden desaparecer por completo.

¡Qué terrible es para el resto de los humanos que tenemos que vivir con lo que la naturaleza nos ha dado (junto con una crema para maquillarnos)!

Una nariz no es más que una nariz

Aquí, en el mundo real, lo que importa es quién eres y cómo te sientes contigo misma. Poca gente tiene la suerte de tenerlo todo perfecto. Todas nosotras tenemos rasgos mejores y rasgos peores. Al final, los rasgos distintivos de una persona son los que hacen que tenga un rostro más interesante. Y, aunque no lo creas, ser interesante es mucho más atractivo que ser perfecta. De hecho, la perfección es aburrida. ¿Acaso no sería aburrida la vida si miraras a tu alrededor y vieras cientos de Barbie y Ken iguales?

De acuerdo, quizás estés pensando que tú podrías soportar el aburrimiento de ser perfecta. Bien, ¿qué es lo que te haría feliz? ¿Tener una nariz más pequeña, unas piernas más delgadas, o tener más pecho? ¿*Realmente* eso te haría feliz? Puede que eso contribuyera a tu felicidad, pero sólo porque te haría sentir más segura contigo misma, y como consecuencia de ello tendrías más coraje para perseguir tus ideales. Tener una nariz perfecta no te ayudará a conseguir al mejor chico, la mejor educación o el mejor trabajo del mundo. Independientemente de cómo sea tu nariz, tú siempre seguirás siendo la misma en tu interior, y eso es lo que realmente influye en tus posibilidades de éxito.

Tanto si tienes una naricita coqueta como si tienes un narizón, tendrás que enfrentarte a los mismos obstáculos. Lo que puedes conseguir con una nariz perfecta también lo puedes conseguir con la «napia» con la que has nacido. Tu personalidad no cambiará simplemente porque lo haga tu cara o tu cuerpo. El éxito sigue estando en tus manos. Por ejemplo, tu talento para el baile no se verá eclipsado por tu nariz —¡a no ser que sea tan grande que te haga perder el equilibrio!

El camaleón

Todas las chicas a cualquier edad se sienten culpables de intentar alterar su apariencia para gustar a los demás. ¡Es tal la pérdida de tiempo y energía que ello representa! Es mucho más fácil gustarse a sí mismo y dejar que los demás piensen lo que quieran. Además, la mejor manera de gustar a los demás es queriendo a la persona que tú ya eres.

Fíjate en tus compañeros del colegio. ¿Quiénes son los más populares? ¿Son perfectos todos ellos? Siempre hay gente que es popular por su apariencia física, pero lo más normal es que sean aquellos que tienen mayor confianza, carisma y atractivo general. Las personas que se preocupan por divertirse en lugar de por el aspecto que tienen son las que todos quieren tener a su alrededor.

Esto no quiere decir que no comprendamos que te interese tu aspecto. Créenos, sí que lo comprendemos. A una de nosotras no le gusta su nariz y le gustan sus piernas. A la otra, le gusta su nariz y no le gustan sus piernas. Nuestras opiniones sobre estos rasgos no han afectado para nada nuestras carreras, nuestra vida amorosa, o nuestra felicidad general –¡pero sí que nos hacen ser un equipo de escritoras bien equilibrado!

Muy pocas mujeres son felices con todos sus rasgos. Tendrás una confianza más fuerte si desarrollas tus otras cualidades, como por ejemplo, tu sentido del humor. Después de todo, si tu popularidad reside en tener un «trasero bonito» o en una «bonita percha» no sabrás qué hacer cuando estos rasgos vayan dónde inevitablemente la gravedad les llevará –*abajo*.

Pero escucha una cosa, si el estar obsesionada con tu apariencia y hacer ejercicio tres veces al día y vigilar cualquier cosa que te lleves a la boca te hace sentir que vives plenamente la vida, bienvenida. Pero después no vuelvas a nosotras dentro de 20 años cuando abandones el gimnasio y te des cuenta que tu vida ha pasado de largo. No te gustaría tener como único orgullo que sigues usando la talla 34, ¿verdad? ¿Dónde está el equilibrio?

Para entonces, puede que el ideal de belleza vuelva a ser tener una talla 40 y por tanto tú no estés dentro de ese ideal. Para que la industria de la moda y de la belleza continúe estando siempre en alza es necesario que ese ideal de belleza cambie constantemente. Sin embargo, tú sigues atrapada en el cuerpo que tienes y su configuración básica nunca cambiará. Si tienes un cuerpo en forma de pera, podrás ser una pera más grande o más pequeña, pero siempre serás una pera. Por mucho régimen y ejercicio que hagas, tu constitución no cambiará nunca. ¿Qué vas a hacer pues? ¿Estar toda tu vida infeliz mientras que intentas transformarte en algo imposible para ti? ¿Por qué no te relajas e intentas ser lo mejor que puedas ser, independientemente de que uses la talla 34 o la 44, seas alta o baja, delgada o con curvas? Si siempre estás luchando contra la naturaleza, tu infelicidad se reflejará en tu rostro, ¡y entonces sí que serás poco atractiva!

Porque te lo mereces

Así pues, ¿qué pasa si no tienes los labios más carnosos o los ojos más seductores del mundo? A lo mejor tienes unas piernas preciosas, o unas caderas envidiables o un pelo maravilloso. Todos tenemos algún rasgo distintivo bonito. Identifica cuáles son los tuyos, juega con ellos, e intenta ser lo mejor que puedas ser. Diviértete experimentando con diferentes cortes de pelo y colores, maquillajes, incluso tatuajes o *piercings*. Vigila, con estos dos últimos lo mejor es que primero pruebes con los que son temporales. Antes de tatuarte una mariposa en la nalga imagínate con 60 años luciendo ese tatuaje. ¿Te parecería bonito?

Mientras que aprendes a amar y respetar el cuerpo que tienes, también podrías aprender a cuidarlo como se merece. Una buena alimentación te ayudará a tener un cuerpo sano y a mantener tu piel bonita. Si no quieres acabar pareciendo una pasa cuando tengas quince años más, utiliza bronceadores con filtro solar y deja de una vez por todas esos malditos cigarrillos.

Si crees que estás consumiendo demasiadas calorías, busca un ejercicio que te divierta. Es una manera perfecta de quemar grasas y aclarar la mente. De hecho, ahora es el mejor momento para empezar a hacer ejercicio regularmente. Los buenos hábitos durante tu juventud te ayudarán a mantener un cuerpo sano y atlético toda tu vida.

La moraleja de la historia es la moderación. Ni una sola cosa —ni el tabaco, ni la comida, ni la bebida, ni las drogas, ni el sexo...– debería regir tu vida. No permitas que nada ni nadie controle tu vida.

Si crees que estás empezando a preocuparte en exceso por tu peso o por tu aspecto físico, háblalo con alguien. Cuanto más esperes a hacerlo mayor será el daño en tu autoestima, y no digamos en tu cuerpo. Al ser éste un problema muy común no te costará nada encontrar ayuda. Empieza contactando con el médico de la familia. No sientas vergüenza, no eres la primera persona que lo hace.

Te debes a ti misma cuidar bien el cuerpo que tienes. Intenta a toda costa desconectar de las opiniones del resto del mundo. Sabemos que es difícil ignorar las críticas de los demás, especialmente cuando proceden de chicos atractivos. Una vez un chico que conocemos hizo esta observación sobre una profesora de aeróbic: «Está en buena forma pero no tiene una bonita forma». Desgraciadamente, él había nacido en la era de *Los Vigilantes de la Playa* y por un momento creyó que todo el mundo podía conseguir lo que él veía en la televisión. Por suerte, los chicos que tienen amor propio nunca girarán la cara a una chica con aspecto sano. Al final tendrás que sentirte bien con aquellos que has estado adorando y ¡al infierno todos los demás!

22

¡Ayuda! ¿Quién soy?

Buenas tardes, señoras y señores, y bienvenidos a ¡De quién es esta vida! Hoy, nuestros participantes van a tener que luchar contra su familia y entre ellos para averiguar quiénes son y qué se supone que tienen que hacer con sus vidas. Competirán para ganar una provisión de felicidad para toda la vida —y unos pocos afortunados competirán por la fama y la fortuna. Así que estén bien atentos para no perderse ni un minuto del drama mientras que nuestros jugadores exponen sus vidas ante ustedes.

Seguramente te habrás dado cuenta (a no ser que hayas estado dormitando durante los últimos 14 años) de que hay un mundo enorme a tu alrededor, y que por muy excitante que sea explorarlo, el intentar averiguar dónde exactamente encajas en la gran pantalla puede llegar a ser ciertamente abrumador. Basta con dejar tu suerte en manos de un presentador.

En estos momentos, tu cabeza está llena de dudas:

¿Con quién saldré el próximo sábado?

¿De qué está compuesto el relleno de las galletas Príncipe?

¿Dónde encontraré unas botas que realmente me gusten?

¿Cuándo se darán cuenta mis padres de que me merezco tener mi propia línea de teléfono?

¿Por qué siempre pensé que «ir sin bragas» era una buena idea? (¡Lleva siempre ropa interior cuando el viento sople fuerte y lleves falda corta!)

¡No! No este tipo de cuestiones. *Este* otro:

¿Quién soy?

¿**Qué** tengo que hacer con mi vida?

¿**A dónde** voy?

¿**Cuándo** llegaré allí?

¿**Por qué** siempre pensé que «ir sin bragas» era una buena idea? (Algunas preguntas siempre vuelven a tu mente para obsesionarte.)

Con un cuerpo cambiando más rápidamente que un cohete dejando la atmósfera de la Tierra, lo más probable es que no sientas la menor ansiedad o que sientas un pánico tremendo. Cuando ya tengas la apariencia de un adulto, lo más normal es que te sientas obligada a cumplir la responsabilidad de serlo, pero mientras tanto estás intentando diferenciar quién eres de lo que los demás quieren que seas.

Presión, presión, presión

Éste es un momento muy importante en tu vida. Tienes que examinar un montón de información –y de mala información– para decidir qué es lo que más te conviene. Probablemente estés sintiendo la presión que hacen tus padres para que entres en un territorio nuevo. Pero tú eres la que decides si quieres entrar a explorarlo o no. Ten en cuenta que éstas no son decisiones que tengas que tomar atolondradamente. Siempre es mejor que hables con gente con más experiencia sobre las direcciones que estás considerando. Los padres suelen estar abiertos a este tipo de discusiones pero si no te sientes a gusto hablándolo con ellos, busca algún amigo o familiar, o incluso algún consejero.

También es importante que empieces a mirar *dentro de ti* para asegurarte de que estás siendo fiel contigo misma. Puede que no te hayas dado cuenta todavía pero ya tienes un poderoso «código» de conducta personal que te define. Tu código personal es la única cosa que te diferencia de los demás y te permite afirmar cosas como, «No. No me sentiría cómoda haciendo esto». Cuanto más fiel seas a tu código personal haciendo sólo aquello con lo que realmente te sientes cómoda, más feliz serás –y más cosas conseguirás en la vida.

Durante los años adolescentes, es fácil caer en el hábito de preocuparte menos por aquello que te hace feliz *a ti* y más por aquello que hace feliz *a los demás*. Esto afecta a las decisiones más simples:

Cuando era pequeña tenía el pelo muy largo hasta que un día vi a una patinadora en la televisión. Llevaba un peinado corto muy bonito. Le pregunté a mi madre si me podía llevar a la peluquería para que me hicieran el mismo peinado. Me encantó y lo llevé corto muchos años. Pero ahora que soy más mayor, lo llevo largo porque los chicos siempre están diciendo que prefieren a las chicas con el pelo largo. Así que aunque en realidad me encantaría cortármelo, he decidido dejármelo largo.

Como ahora estás enfrentándote a demasiadas presiones y exigencias competitivas, a lo mejor no te das cuenta de qué es lo que realmente te hace feliz. O quizás, como le ocurre a mucha gente (especialmente a mujeres), ni siquiera pienses en que tienes derecho a ser feliz. A lo mejor piensas que tienes que ganarte la felicidad siendo lo suficientemente buena, inteligente o guapa. Hay un mensaje que nos gustaría darte fuerte y claramente en este libro: *Todas y cada una de vosotras os merecéis ser felices.*

La clave para aceptar que te mereces ser feliz es la confianza, y para muchas chicas es difícil lograrla. De hecho, se sabe que desgraciadamente las mujeres somos nuestros peores críticos. Piensa por un momento en lo generosa y comprensiva que eres con tus amigos. Les permites cometer un sinfín de errores y les apoyas siempre en sus esfuerzos para que lo vuelvan a intentar, ¿no? Bien, ¿por qué no te concedes a ti misma la misma libertad? Permítete intentar cosas nuevas sabiendo que a lo mejor la primera vez no te van a salir perfectamente. Establece algunos límites alcanzables y observa cómo tu confianza aumenta conforme vas consiguiéndolos. Avanza pasito a pasito hacia tus grandes sueños. Sí, seguro que tardarás en llegar, pero verás como cada uno de los pequeños triunfos te hará ser más fuerte.

Cuando estés intentando tener confianza en ti misma, ten cuidado que nadie te la regale envuelta en un bonito envoltorio, especialmente un chico. Es algo que sólo tú puedes concederte. Tener un novio puede ser una maravilla pero lo único que él puede hacer es *añadir* a la felicidad que tú ya habrás encontrado. Si todavía no la has conseguido, él no podrá hacer malabarismos para concedértela. Además, es un error conceder a otra persona un poder tan grande sobre tu vida y tu felicidad –o el peso de unas expectativas tan importantes como estas.

Sexo, drogas y alcohol

Aunque nunca ha sido sencillo para los jóvenes decir *no* a aquello que sus padres están intentando, hoy día parece que todavía es más difícil. Todos estamos inundados de imágenes en televisión, en los anuncios, en las películas y en los vídeos musicales que sugieren que todo el mundo está metido en el sexo, las drogas y el alcohol. Se trata de una fiesta sin final en el mundo sofisticado en el que vivimos. Los jóvenes de hoy día no pueden estar al día si no salen y caen, ¿es verdad o no?

No hay duda de que algunos jóvenes están metidos en las drogas y el alcohol, pero son menos de los que te imaginas. Recuerda que la función de la publicidad es *vender* –vender un producto, y vender un estilo de vida que apoye ese producto. Para mantener nuestro equilibrio, hoy en día tenemos que ser críticos con lo que vemos y oímos. Esto quiere decir que no deberías aceptar ningún mensaje que no proceda de una fuente fidedigna. ¡Cuestiónatelo todo! No hace falta que lo hagas en alto (o molestarás a tus amigos), pero coge el hábito de evaluar en silencio todo lo que veas y oigas. Después compara estos mensajes con el «código» personal que hemos mencionado anteriormente.

Esto es lo que tienes que hacer siempre que estés animada a intentar algo sobre lo que no estés del todo segura. Sopesa tu decisión con mucho cuidado comparándola con tu «código». ¿Es coherente la idea de empezar a beber con la persona que eres, o que quieres llegar a ser, y con lo que quieres conseguir en la vida? ¿Quieres perder el control? Recuerda que con cualquiera de estas cosas –especialmente las drogas y el alcohol– es muy fácil traspasar la línea y perder el control. Es una bajada resbaladiza. Un día te tomarás una cerveza y al día siguiente serán más de una. Cuando estés en la etapa de «más de una», tu rendimiento en cualquier aspecto de tu vida se verá afectado y por tanto tus esperanzas de conseguir tus objetivos se verán saboteadas.

Generalmente, si realmente te escuchas a ti misma te darás cuenta de que no quieres perder el control. Después de todo, ya estás luchando por quitarles a tus padres el control de tu vida. ¿Quieres tener tú ese control? ¿Por qué vas a darle alguno de tus poderes personales que tanto te han costado ganar a alguien o a algo?

La madurez implica pensar y analizar las cosas desde diferentes ángulos. Significa valorar las consecuencias y evitar seguir a la masa simplemente porque sí. Decir *sí* es fácil. Necesitarás mucho más coraje para decir *no* a aquello que no tiene ningún sentido para ti. No podemos negar que ésta última es una decisión mucho más dura, pero sí *podemos* decirte que nunca te arrepentirás de haber considerado una decisión con todas sus consecuencias.

De vez en cuando escucharás balidos procedentes del rebaño de ovejas. Éstas están inconscientemente siguiendo al rebaño e intentando que te pongas el abrigo de lana y te unas a ellas. Bien, pues desconecta. No hay nada malo en ser una oveja independiente —o mejor aún, el pastor. En otras palabras, no dejes que tus amigos te arrastren hacia abajo. Si tus decisiones son correctas para ti —si son coherentes con tu «código»— ignora las críticas. Recuerda que «nadie puede hacerte sentir inferior sin tu consentimiento».

Modelos a imitar

Otras personas te pueden ayudar a entender la idea general de la vida. Estos mentores y modelos a imitar tendrán los rasgos que tú admiras y aspiras tener, y a menudo habrán conseguido objetivos similares a los que tú has determinado en tu vida.

Si crees que no tienes ningún modelo en tu vida, vuelve a pensarlo. Están en todas partes —en el colegio, en la televisión, en los libros. Un modelo a imitar no tiene porque ser *todo* aquello que tú esperas ser. Gente diferente puede modelar talentos, valores o habilidades diferentes. A lo mejor tu tía es una comunicadora excelente o la amiga de tu madre es una actriz natural. Éstas son personas que vale la pena que estudies. Algunos modelos están incluso más cerca de tu casa, ¡a lo mejor hasta viven en ella! Sí, sabemos que tus padres te vuelven loca, pero seguro que tienen algunas habilidades o puntos fuertes de los cuales tú estás secretamente orgullosa y quieres imitar. (¡A lo mejor ya estás imitando a alguien pero no lo sabes!)

Siempre es divertido preguntar a la gente quién le ha influenciado en la vida. Las respuestas te pueden llegar a sorprender:

❀ ❀ ❀ ❀ ❀ ❀ ❀ ❀ ❀ ❀ ❀ ❀ ❀ ❀ ❀ ❀ ❀

Mi abuelo tenía 15 años cuando se alistó a la Segunda Guerra Mundial. Le inscribieron en la rama de servicios especiales y fue enviado como civil (es decir sin uniforme) a los países enemigos para sabotear sus sistemas de comunicación. Su contacto en varios de estos lugares era una chica de 20 años llamada Margarita, que vivía entre enemigos. Arriesgaba su vida cada día para ayudar a su país y ayudó a mi abuelo a escapar de más de un campo de prisioneros. Dice que si no fuera por ella hoy no estaría vivo. Admira de verdad su valentía. Ella murió poco después de que acabara la guerra en un accidente de aviación, y mi abuelo ha guardado durante toda su vida la imagen de una chica de 20 años como uno de sus modelos a imitar.

❀ ❀ ❀ ❀ ❀ ❀ ❀ ❀ ❀ ❀ ❀ ❀ ❀ ❀ ❀ ❀ ❀

Piensa por unos momentos en quién te inspira más en la vida. Identificar qué es lo que admiras de ellos te ayudará a descubrir las cualidades que te gustaría desarrollar. Si conoces a esas personas, no tengas vergüenza en pedirles consejo.

Sigue tu corazón (¿o mejor decir, tus instintos?)

Lo último que queremos decirte es que por muy tentador que sea, resiste la necesidad de disfrazar o cambiar quién eres o en qué crees para así encajar con los demás. Mejor que busques gente que te acepte tal como eres. No tienes nada que ganar por ir con gente cuya mente es tan pequeña que sólo acepta a aquellos que son exactamente iguales. La gente que vale la pena conocer es normalmente la que baila a su propio ritmo. Fíjate en cualquier buen artista o músico y verás como seguramente no sigue al rebaño.

Si quieres intentar algo nuevo, hazlo –incluso aunque tu grupo de amigos actual piense que no está de moda. Las modas cambian. Aquello que ahora se considera en declive puede que dentro de unos años sea la cosa más moderna. Cuando nosotras estábamos en la universi-